大人気YouTuber方式

Excel & Wordの

必須スキルが見るだけで身につく本

金子晃之

宝島社

はじめに

知識ゼロの完全初心者から中級者へ

【=COUNTIF(成績表!$A$4:$A$9,集計!A7)】
【=VLOOKUP(A2,$A$8:$C$10,2,FALSE)】

上の呪文のようなものはExcelの計算式の一例です。今はさっぱりわからなくても、こんな式を理解し、使いこなせたらな……と過去に一度は思ったことはないでしょうか？　もし、あるのならば、そういう方にこそぜひ本書を読んでいただきたいです。

◉ **Word・Excelは難しいイメージがある**
◉ **勉強しようと思ったけど理解できそうになかった**
◉ **電源を入れるのが精一杯**

現在、あなたがこのように思っていたとしても安心してください。

たとえ今はWordとExcelについて「知識ゼロ」だとしても、本書を読み終える頃には、あなたは先ほどの式が当たり前のように理解でき、さらには仕事で使える必須スキルはひと通り身につけられていることでしょう。

電源が入れられれば知識ゼロでも挫折しない

◉ **パソコンを起動するのが精一杯の私でも理解できました**
◉ **81歳でも非常によくわかりました**
◉ **この人より、初心者にわかりやすく伝える人を見たことがない**

これは実際に私のYouTubeの動画にいただいているほんの一部のコメントです。このコメントは誰でも今すぐ確認できます。あなたは過去に何かを始めようとして挫折した経験はありませんか？　諦めてしまう大きな原因は「わからない」ことです。私も初めて購入したパソコンで、コンセントに差し込まないとパソコンが起動しないことを知らずに、諦めて1週間放置した経験があります。そのような経験をもとに、本書も完全に「知識ゼロ」から始められ、最後まで「わからない」ことがないように構成しています。

本1冊であなたの自宅がパソコン教室に

WordとExcelを本だけの独学で学ぶことは難しいです。しかし、パソコン教室で教えてもらうにはお金も時間もかかりますし、パソコン教室で学べば必ずWord・Excelの知識が身につくわけではありません。

◉ 本を読んでも理解できなくて進めない
◉ 一度聞いたけど理解できなかった

以前、このような不安や悩みを抱いた方もいらっしゃることでしょう。
しかし、ここで紹介している内容は、すべて本書のために作成したオリジナル動画で学ぶことが可能です。動画の詳しい説明については12ページをご覧ください。動画はいつどんなときでも自分のペースで再生し見直せますので、好きなタイミングで勉強し、何度でも復習できます。

① **動画を見る**
② **本書で確認・復習する**
③ **動画で細部を再確認**

上記のように本と動画を組み合わせ活用することで、ひとつずつ理解しながら、あなたに合った速度で勉強を進めることが可能です。

勉強には膨大な時間は必要ない

WordやExcelを勉強する場合、数カ月単位で勉強することが多いです。しかし、しっかりと基礎を理解しながら進めていけば、実は身につけるにはそこまで時間はかかりません。この1冊を読み終える頃には、Word・Excelの知識が今とは驚くほど違うはずです。

私のYouTubeの動画に出会って「仕事も人生も変わった」「もっと早く見たかった」というコメントをたくさんいただいています。本書は、このような経験を、私の動画を知らない・見たことがない方にも体験してほしい、という思いで執筆しました。
この本があなたの人生を変えるきっかけとなれば幸いです。

金子晃之

はじめに …… 2

書籍連動オリジナル動画の見方 …… 12

購入者限定スペシャル動画公開中！ …… 14

序章

▶ 序章
PC初心者から脱却できる基礎知識 …… 17

アプリを開く、閉じる …… 18

「Ctrl+C」コピー …… 20

「Ctrl+V」貼り付け …… 22

「Ctrl+X」切り取り …… 24

「Ctrl+F」検索、「Ctrl+H」置換 …… 26

「Ctrl+S」保存 …… 28

「Ctrl+クリック」指定したファイルを複数選択 …… 30

「Shift+クリック」指定した場所まで全選択 …… 32

「Ctrl+A」ファイルを全選択 …… 34

「Ctrl+Z」ひとつ前に戻る …… 36

column IT必須知識1CPUとは？ …… 38

1章

▶ 1章

Excel 初級編 …… 39

Excelとは? …… 40

Excelの理解に必須な3つの用語 …… 42

タイトルを作成する
（入力、大きさや色の変更、セルの結合） …… 44

画面を拡大・縮小する …… 48

表の作り方の基本を知る …… 50

項目に背景色をつける …… 54

表に罫線を引く …… 56

簡単な関数を使用する …… 58

オートフィルを使用する …… 62

関数の問題点と数式の確認 …… 64

テーブルを作成する …… 66

column IT必須知識②メモリ（RAM）とは? …… 70

2章

▶ 2章

Excel 中級編 ………… 71

グラフを作成する ………… 72

改ページプレビューの使い方 ………… 74

ウィンドウ枠の固定を使おう ………… 76

印刷の繰り返しを設定しよう ………… 80

表示形式の変更 ………… 82

関数を手入力しよう ………… 84

ワークシートを作成する ………… 88

別のシートから関数を使って求める ………… 90

COUNTIF関数の使い方
【指定の人数を計算する】……94

COUNTIF関数の使い方【セルを指定する】……98

COUNTIF関数での絶対参照の使い方……100

別シートでCOUNTIF関数を絶対参照する方法……104

SUMIF関数の使い方……108

VLOOKUP関数の使い方……112

IF関数の使い方……116

ピボットテーブルの使い方……120

column IT必須知識3ストレージ（ROM）とは?……124

3章

▶ 3章

Word 初級編 …… 125

Wordとは？ Excelとの違い …… 126

Word文書を作成する基本の考え方 …… 128

文字の揃え

（両端揃え、中央揃え、右揃え、左揃え） …… 130

文字の書式を変更する …… 132

文字の書式を初期状態にする …… 136

箇条書きの設定 …… 138

画像の挿入 …… 142

テキストボックスの作成 …… 144

テキストボックスを透明にする …… 146

ページ番号をつける …… 150

column IT必須知識④デバイスとは？ …… 152

4章

▶ 4章

Word 中・上級編 …… 153

文字にスタイルを設定する …… 154

文字を大きくしたときの行間の詰め方 …… 160

スタイルでの行間の詰め方 …… 162

目次の作成 …… 164

文字列の折り返し

(前面、四角、上下、背面の違い) …… 166

アンカー記号について …… 170

表の作成 …… 174

4章

表のセルの結合 …… 178

表のセルの分割 …… 180

編集記号の表示 …… 182

図形の作成 …… 186

文字の下の赤い波線について …… 188

コピペで改行させないテクニック …… 190

両端揃え、左揃えの違い …… 194

PDFファイルの作成 …… 196

column IT必須知識⑤ドライバとは? …… 200

5章

▶ 5章
重いパソコンを快適にするコツ …… 201

Windows Updateの使用 …… 202
バックグラウンド アプリの無効化 …… 204
透明効果をオフにする …… 208
ディスクのクリーンアップ …… 210
仮想メモリの設定 …… 214
デフラグ …… 218

書籍連動
オリジナル動画の見方

本書の内容はすべて動画でも学ぶことが可能です。各章のタイトルページ右下や、各項目ページ右上にあるQRコードまたはURLから本書専用特設ページにアクセスでき、自由に動画を見ることができます。インターネットに接続している環境であれば、パソコンやスマートフォンから簡単に閲覧できますので、ぜひ活用してください。

各章タイトルページ

各項目ページ

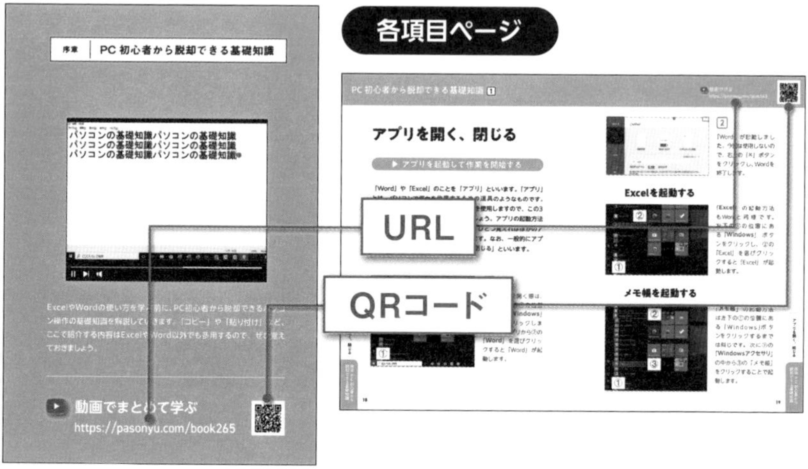

各章タイトルページと各項目ページにはQRコードとURLを記載しています。

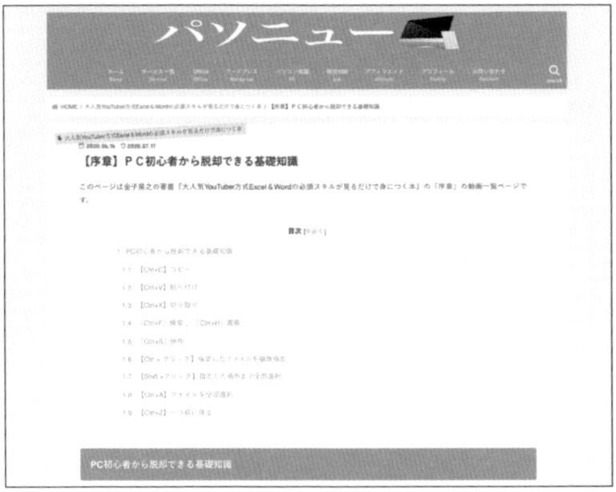

各章タイトルページ右下にあるQRコードやURLからは、章の動画の一覧ページへアクセスできます。目次をクリックすると、その動画へ自動的にジャンプします。章ごとにまとめて見たいときにとても便利です。

各項目ページの右上にあるQRコードやURLからは、その項目の動画へピンポイントでアクセスできます。この項目だけ見直したいという方におすすめです。

※Webページの画面構成は変更することがございます。あらかじめご留意ください。

本書専用特設ページ一覧ページURL

https://pasonyu.com/book/

パスワード：**s1d3k9y3**

※本書専用特設ページ一覧ページのみ、パスワードを入力してアクセスしてください。各章動画一覧ページ、各項目動画ページはパスワードを入力せずにアクセスできます。

購入者限定

スペシャル動画公開中！

書籍連動オリジナル動画に加え、本書購入者限定Webページでは、購入者限定スペシャル動画を公開中です。本書の内容よりもさらに詳しいExcelやWordの機能や使い方から、パソコンやITの最新情報まで、役立つ動画を定期的に配信します。ぜひご覧ください。

購入者限定ページへのアクセス方法

①直接アクセスする

1

右ページ下のQRコードを読み取るか、URLを入力して購入者限定ページにアクセスします。

2

パスワード欄に「z8s4xu3」と入力すると、購入者限定特典動画を見ることができます。

②本書専用特設ページからアクセスする

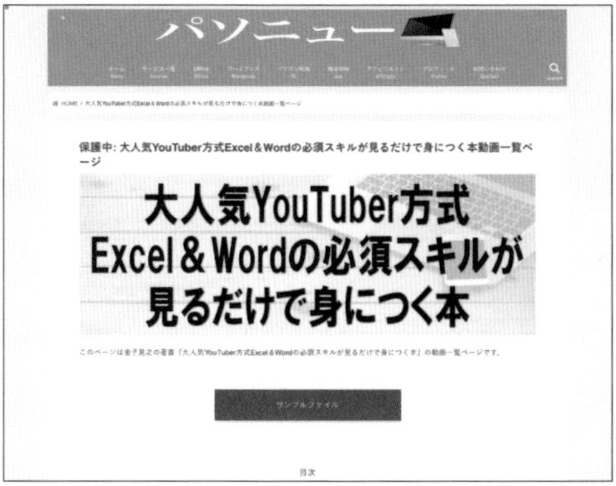

1

本書専用特設ページから購入者限定ページにアクセスすることも可能です。

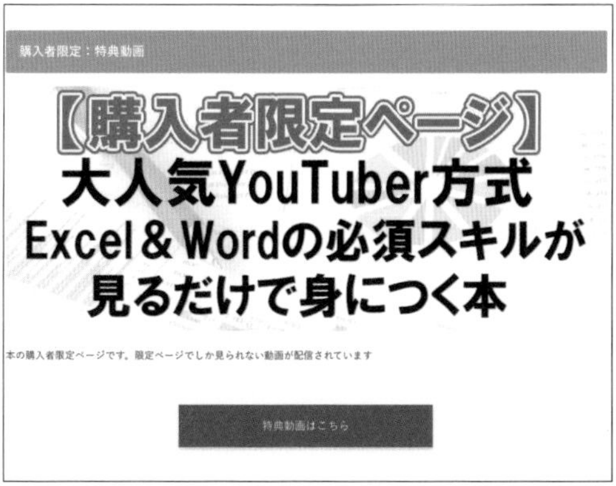

2

本書専用特設ページを下にスクロールし、購入者限定ページの案内から「特典動画はこちら」をクリックすると、パスワード入力画面が表示されます。あとは直接アクセスする場合と同様です。

※Webページの画面構成は変更することがございます。あらかじめご留意ください。

右下のQRコードから購入者限定ページへ直接アクセスすることができます。

https://pasonyu.com/book999

パスワード：**z8s4xu3**

本書で紹介している操作方法や情報はすべて2020年7月現在のものです。

本書では「Windows 10」と「Microsoft 365」がインストールされているパソコンで、インターネットが常時接続されている環境を前提に画面を再現しています。

Macの場合は操作が異なりますのでご注意ください。

本文中では、「Microsoft® Office Excel 2016」のことを「Excel」、「Microsoft® Office Word 2016」及び「Microsoft® Office Word 2019」のことを「Word」と記述しています。

本文中で使用している用語は、基本的に実際の画面に表示される名称に則っています。

序章 | # PC初心者から脱却できる基礎知識

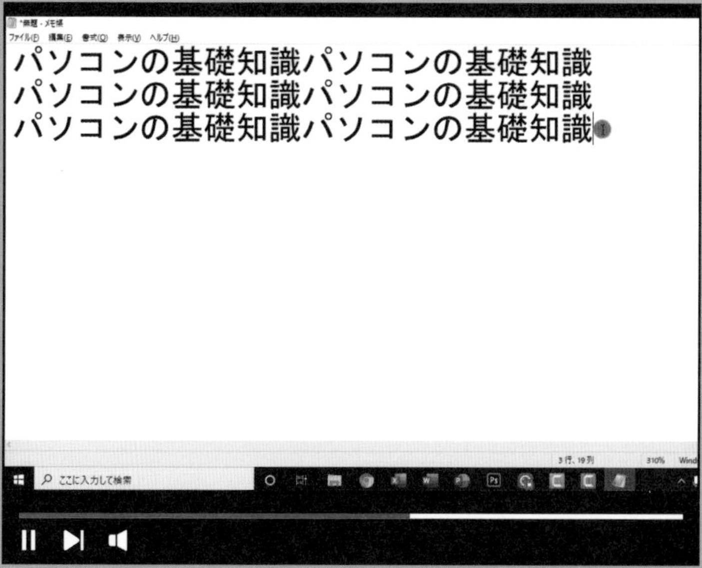

ExcelやWordの使い方を学ぶ前に、PC初心者から脱却できるパソコン操作の基礎知識を解説していきます。「コピー」や「貼り付け」など、ここで紹介する内容はExcelやWord以外でも多用するので、ぜひ覚えておきましょう。

動画でまとめて学ぶ

https://pasonyu.com/book265

アプリを開く、閉じる

▶ アプリを起動して作業を開始する

「Word」や「Excel」のことを「**アプリ**」といいます。「アプリ」とは、パソコンで何かを**作業するための道具**のようなものです。本書では「メモ帳」「Word」「Excel」を使用しますので、この3つのアプリの起動方法を覚えておきましょう。アプリの起動方法と終了方法はすべて共通しているので、ひとつ覚えればほかのアプリも同じように操作することができます。なお、一般的にアプリの起動を「**開く**」、アプリの終了を「**閉じる**」といいます。

1

「アプリ」を開く際は、まず、左下の①の位置にある「**Windows**」ボタンをクリックします。次にアプリから②の「**Word**」を選びクリックすると「Word」が起動します。

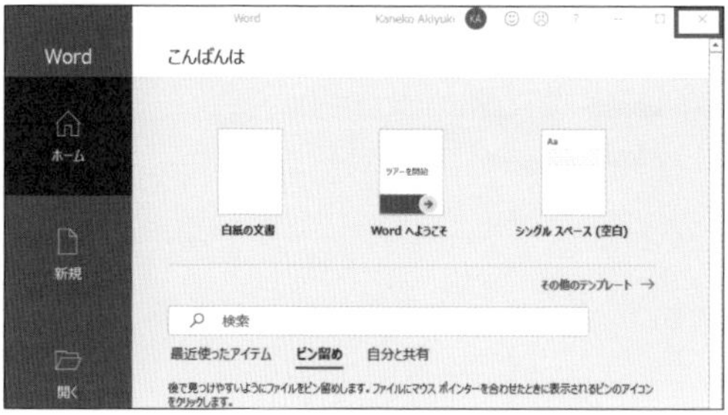

2

「Word」が起動しました。今回は使用しないので、右上の「×」ボタンをクリックし、Wordを終了します。

Excelを起動する

「**Excel**」の起動方法もWordと同様です。左下の①の位置にある「**Windows**」ボタンをクリックし、②の「Excel」を選びクリックすると「Excel」が起動します。

メモ帳を起動する

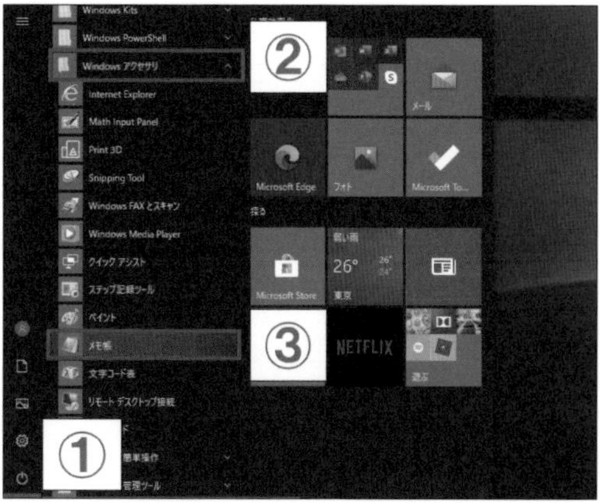

「**メモ帳**」の起動方法は左下の①の位置にある「Windows」ボタンをクリックするまでは同じです。次に②の「**Windowsアクセサリ**」の中から③の「メモ帳」をクリックすることで起動します。

「Ctrl+C」コピー

▶ 文字をコピーする

まずは、「メモ帳」で文字を**コピー**してみましょう。コピーは、コピーしたい部分を選択し、「**Ctrl**」キーを押しながら「**C**」キーを押すことで行えます。コピーや、このあと紹介する、貼り付け・切り取りは、右クリックで表示される「**右クリックメニュー**」から選択して行うこともできますが、この「**ショートカット**」キーを覚えることでその動作が格段に速くなりますので、「**Ctrl+C**」をしっかり覚えておきましょう。

1

文字の先頭をクリックしたまま、コピーしたい文字列の最後までマウスをドラッグさせ、青い「**選択状態**」にします。

2

左手の小指で「**Ctrl**」キーを押しながら、左手の人差し指で「**C**」キーを押します。

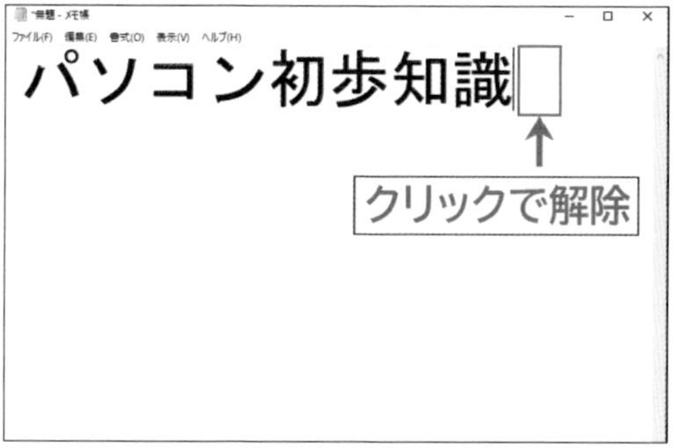

3

すでにコピーが完了しているので、コピー部分の最後をクリックして「**選択状態**」を解除しましょう。

Point

- 「Ctrl」は左手の小指、「C」は左手の人差し指で押す
- コピーが完了しても「選択状態」は維持される
- コピーを繰り返すと、前にコピーした文字列は上書きされる
- 「右クリックメニュー」でもコピーはできる

「Ctrl+V」貼り付け

▶ 文字を貼り付ける

次は、コピーした文字を**貼り付け**てみましょう。貼り付けは、貼り付けたい場所をクリックしてから、「**Ctrl**」キーを押しながら「**V**」キーを押すことで行えます。また、最後にコピーした文字列は、新しい文字列をコピーするまで保存され続けているので、「Ctrl」キーを離さずに「V」キーを押すことで何度でも貼り付けることができます。もちろん、「**右クリックメニュー**」から選択して貼り付けることも可能です。

1

貼り付けは、カーソルのある位置や「**選択状態**」の場所に実行されます。貼り付けたい場所をクリックしましょう。

2

左手の小指で「**Ctrl**」キーを押しながら、左手の人差し指で「**V**」キーを押します。

3

ふたたび「**Ctrl+V**」を押すことで、同じ文章が何度でも貼り付けられます。

Point

- ☑ **貼り付けたい場所をクリックする**
- ☑ **「Ctrl」は左手の小指、「V」は左手の人差し指で押す**
- ☑ **最後にコピーした文字列は何度でも貼り付けられる**
- ☑ **「右クリックメニュー」でも貼り付けはできる**

「Ctrl+X」切り取り

▶ 文字を切り取る

コピーと似た機能に**切り取り**があります。切り取りなので選択箇所を移動させるというイメージです。切り取りたい部分を選択し、「**Ctrl**」キーを押しながら「**X**」キーを押すことで選択箇所が消えます。切り取った文字列も「**Ctrl+V**」で何度でも貼り付けることができます。コピー・貼り付け・切り取りは使う機会が多いので、必ず「**ショートカット**」キーを覚えましょう。

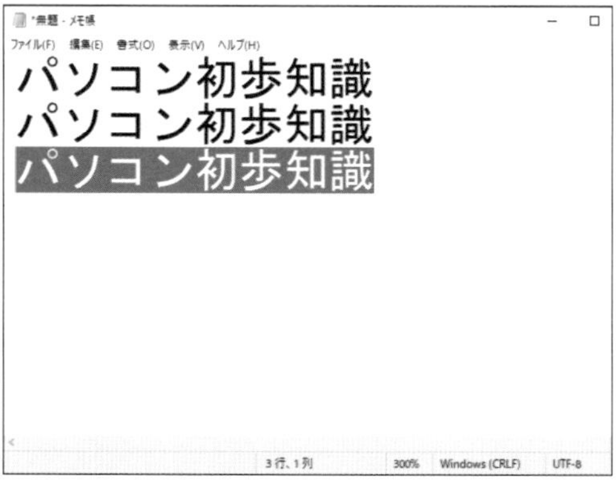

1

文字の先頭をクリックしながら、切り取りたい文字列の最後までマウスをドラッグさせ、青い「**選択状態**」にします。

2

左手の小指で「**Ctrl**」キーを押しながら、左手の人差し指で「**X**」キーを押します。

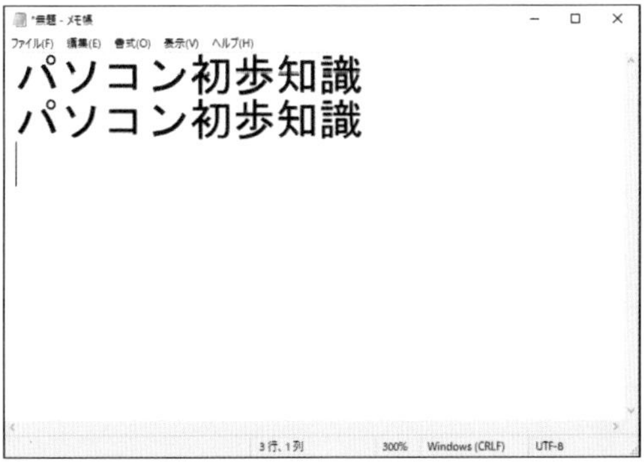

3

選択箇所が消え、「**Ctrl+V**」で貼り付けができるようになります。

Point

- ☑ 「Ctrl」は左手の小指、「X」は左手の人差し指で押す
- ☑ 切り取った箇所は消える
- ☑ 切り取った文字列は何度でも貼り付けられる
- ☑ コピー・貼り付け・切り取りは多用するショートカット

「Ctrl+F」検索、「Ctrl+H」置換

▶ 文字の検索や置換を素早く行う

文章が長文の場合、見たい単語や文字列がどこに記載されていたかがわからなくなるときがあります。そのような場面で役立つのが「検索」機能です。「**Ctrl**」キーを押しながら「**F**」キーを押すと、「検索」ウィンドウが開き、指定した文字を検索できます。選択位置に近い記載箇所が選択され、検索を繰り返すと次の記載箇所に移動します。また、検索した文字を別の文字に変換できる「置換」という機能もあります。「**Ctrl**」キーを押しながら「**H**」キーを押すと「置換」ウィンドウが開き、文字が置換できます。

文字を検索する

1

検索したい文章の文頭に「**カーソル（点滅している縦棒）**」を置いた状態で、「**Ctrl**」キーを押しながら「**F**」キーを押します。

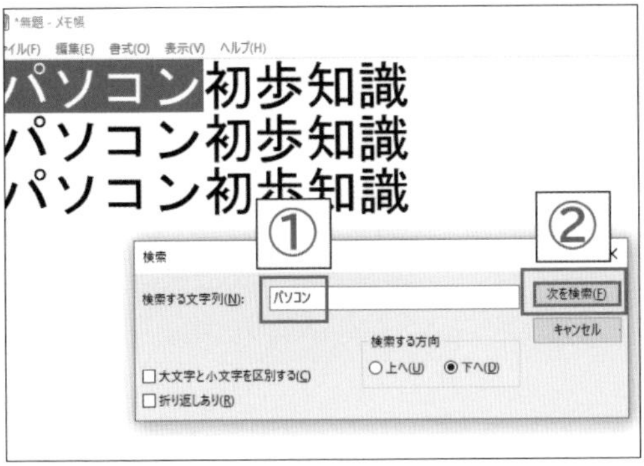

2

「**検索**」ウィンドウの、①の「**検索する文字列**」に検索したい文字（今回はパソコン）を入力し、②の「**次を検索**」をクリックすると、文中で最初のパソコンという文字が選択されます。

文字を別の文字に置換する

1

「**Ctrl**」キーを押しながら「**H**」キーを押します。

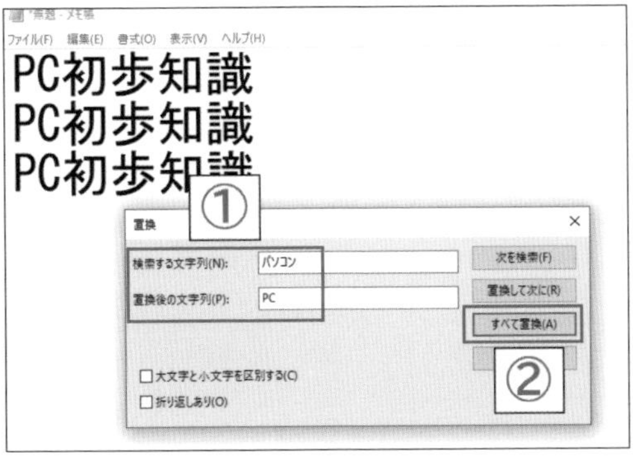

2

①の「**検索する文字列**」にパソコン、「**置換後の文字列**」にPCと入力して、②の「**すべて置換**」をクリックすると、すべてのパソコンという文字がPCに変わります。

「Ctrl+S」保存

▶ アプリのデータを保存しておく

パソコン内に保存されているデータを「**ファイル**」といいます。ファイルを再度使用する場合には、アプリを終了する前にファイルを「**保存**」しておく必要があります。保存のショートカットは「**Ctrl+S**」です。メニューバーの「**ファイル**」から「**名前を付けて保存**」などを選ぶことでも保存ができますが、ショートカットを使うことによって、素早く簡単に保存できます。なお、初めて保存する際はファイルに名前をつけて保存しますが、二度目以降は自動的に「**上書き保存**」されるようになります。

初めて保存する

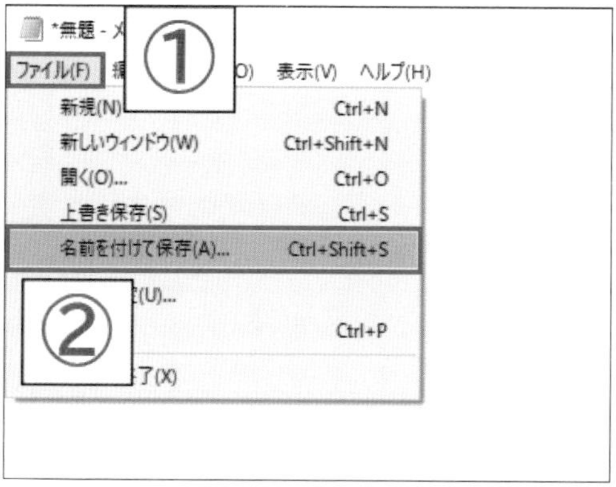

1

メモ帳の場合、メニューバーの①の「**ファイル**」をクリックし、②の「**名前を付けて保存**」を選択します。または「**Ctrl+S**」を押します。

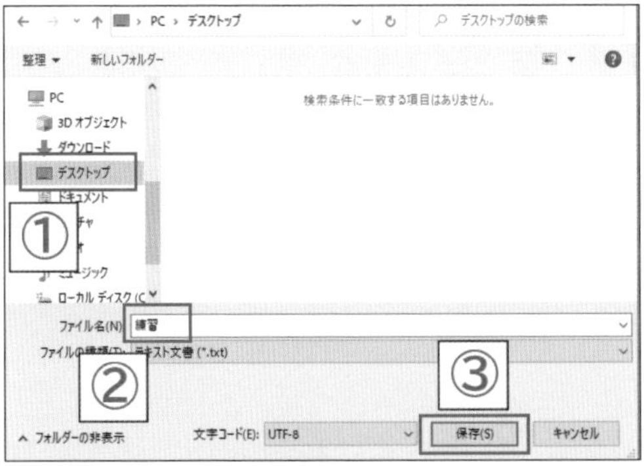

2

「名前を付けて保存」ウィンドウが開くので、**保存場所**（今回は①の「デスクトップ」）を決め、②の**「ファイル名」**に名前を入力し、③の**「保存」**をクリックします。

3

ファイルが保存されました。ダブルクリックでファイルを開くことができます。再度保存する際は**「Ctrl+S」**を押すだけで保存することが可能です。

WordやExcelの保存方法

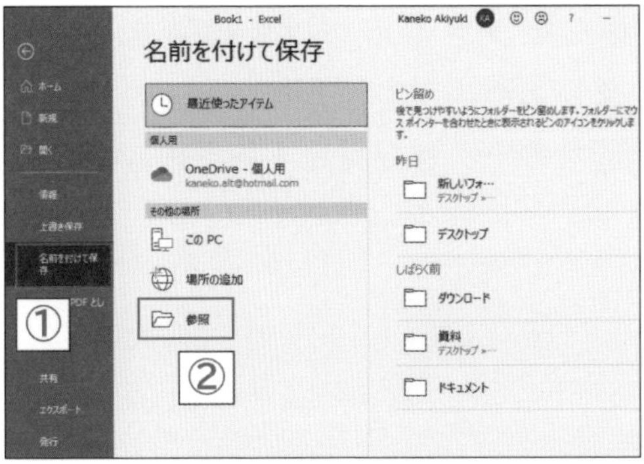

WordやExcelの場合はメモ帳と画面が異なります。**「ファイル」**から①の**「名前を付けて保存」**を選び、②の**「参照」**をクリックしましょう。あとの動作はメモ帳と同様です。

「Ctrl+クリック」指定したファイルを複数選択

▶ 離れた複数のファイルを選ぶ

ファイルがたくさんある場合、ひとつずつ移動するのは大変な労力です。そのような場合、役に立つのが「複数選択」という方法になります。まずは、ファイル同士が離れている場合の「複数選択」の仕方を覚えていきましょう。

最初にひとつ目のファイルをクリックして「**選択状態**」にしましょう。次に「**Ctrl**」キーを押しながら別のファイルを**クリック**することで、ファイルを個別に「選択状態」にすることができます。この方法なら、それぞれのファイルが離れていても複数のファイルの選択が可能になります。

選択中に間違ったファイルをクリックしてしまった場合は、「Ctrl」キーを押しながら、間違えたファイルをもう一度クリックすることで「選択状態」を外すことができます。

すべての選択終了後に選んだファイルだけを移動する際は「Ctrl+X」で切り取り、選んだファイルだけを複製する際は「Ctrl+C」でコピーを行いましょう。ファイルに限らず、選択するときに多用する便利な機能なので、ぜひ覚えておきましょう。

1

最初のファイルをクリックして「**選択状態**」にします。

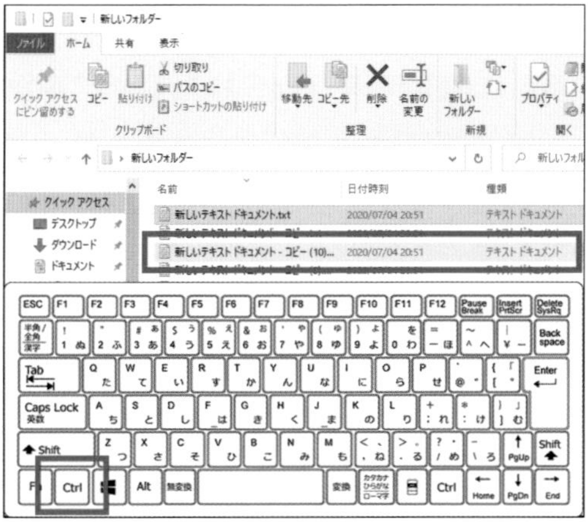

2

「**Ctrl**」キーを押しながら、別のファイルをクリックします。

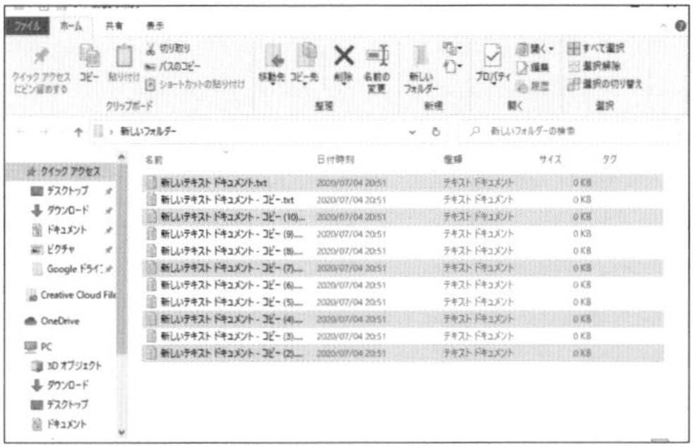

3

「**Ctrl**」キーを押しながら、必要なファイルを選択していきます。

「Shift +クリック」指定した場所まで全選択

▶ 連続した複数のファイルを選ぶ

次は、ファイル同士が連続している場合の「複数選択」の仕方を紹介しましょう。

最初にひとつ目のファイルをクリックして「**選択状態**」にする点は一緒ですが、その次は「**Shift**」キーを押したまま別のファイルを**クリック**します。すると、最初にクリックしたファイルから最後にクリックしたファイルの間にあるすべてのファイルが「選択状態」になります。マウスのドラッグでファイルを選択したときの機能に似ていますが、この方法であれば、選択しすぎた場合、「Shift」キーを押しながら選択したい最後のファイルをクリックすることで選択範囲を縮小することができます。また、「Shift」キーを押しながら別のファイルを選択するとさらに選択範囲を広げることができます。

さらに、「**Ctrl+クリック**」を**併用**することも可能です。「Shift+クリック」で選択したのち、「Ctrl+クリック」でファイルをクリックすることでファイルの「選択状態」を個別に外したり、離れたファイルを「選択状態」にしたりすることができます。「Ctrl+クリック」だけでも連続するファイルの選択はできますが、ひとつひとつクリックしなければいけないので、とても大変です。この方法であれば、たくさんのファイルを一気に選択できますので、どちらも覚えておきましょう。

1

最初のファイルをクリックして「**選択状態**」にします。

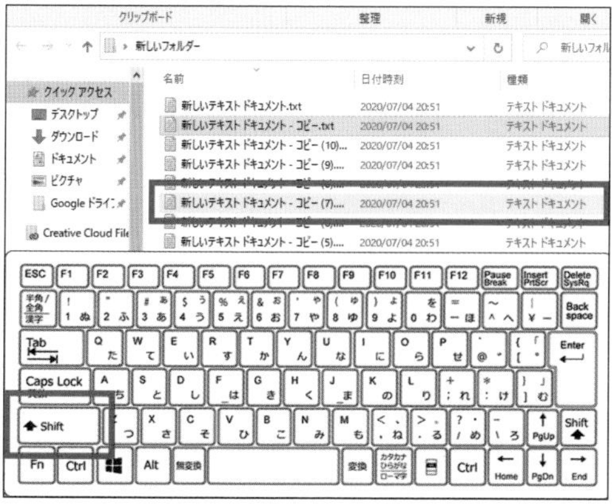

2

「**Shift**」キーを押しながら、選択したい最後のファイルをクリックします。

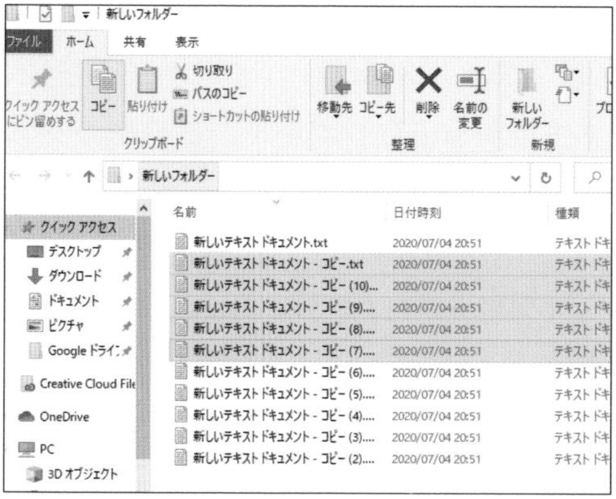

3

最初にクリックしたファイルから最後にクリックしたファイルまでが「**選択状態**」になります。

「Ctrl+A」ファイルを全選択

▶ すべてのファイルを選ぶ

最後の選択方法は「**全選択**」です。この方法ではフォルダの中にあるすべてのファイルを選択することができます。

まず、フォルダのウィンドウをクリックしてファイルを選択できる状態にしましょう。次に「**Ctrl**」キーを押しながら「**A**」キーを押します。すると、フォルダ内のすべてのファイルが「**選択状態**」になります。個別のファイルの「選択状態」は「**Ctrl+クリック**」で**外す**ことができるので、フォルダからファイルをひとつだけ残してコピーや移動をしたい場合などは、「Shift+クリック」や「Ctrl+クリック」よりも便利な機能となります。

また、「**Shift+クリック**」を**併用**することも可能です。例えば、最後から3つだけファイルの「選択状態」を外したい場合、「Ctrl+A」で「全選択」してから「Shift+クリック」で目的のファイルまでをクリックすることで選択範囲を変えられます。

ただし、ファイルの選択順はフォルダを開いてから何も選択していない場合は一番上のファイルからになりますが、どれかのファイルを「選択状態」にしてから外した場合は、そのファイルをもとに選択範囲が決まるので、注意が必要です。「Ctrl+クリック」「Shift+クリック」「Ctrl+A」を使い分けたり、組み合わせたりすることで、さまざまな選択の仕方が可能になります。

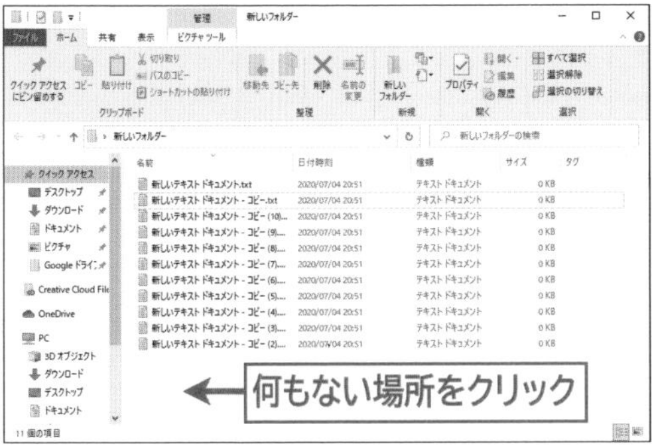

1

フォルダのウィンドウ内をクリックして、フォルダ内のファイルを選択できる状態にします。

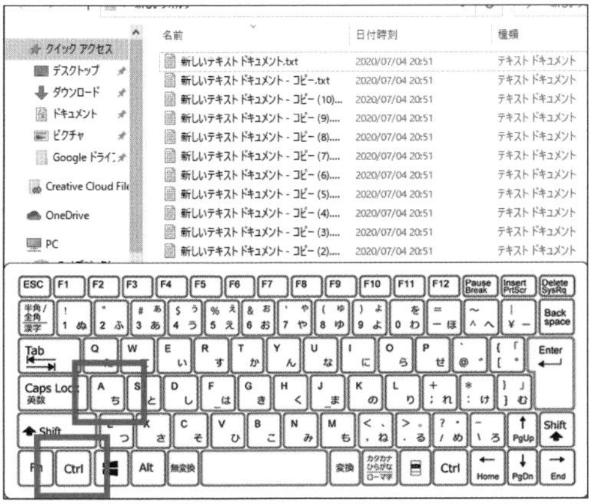

2

「**Ctrl**」キーを押しながら、「**A**」キーを押します。

3

フォルダ内のすべてのファイルが「**選択状態**」になります。

「Ctrl+Z」ひとつ前に戻る

▶元の状態に戻す

間違ってファイルを移動してしまったり、消してしまったりしても、「**右クリックメニュー**」から「**元に戻す**」を選択すれば、直前の動作をキャンセルすることができます。この機能のショートカットが「**Ctrl+Z**」です。「**Ctrl**」キーを押しながら、「**Z**」キーを押すことでひとつ前の状態に戻すことができます。ただし、この機能は何も選択していなくても作動するので、意図せずひとつ前の状態に戻さないように注意しましょう。

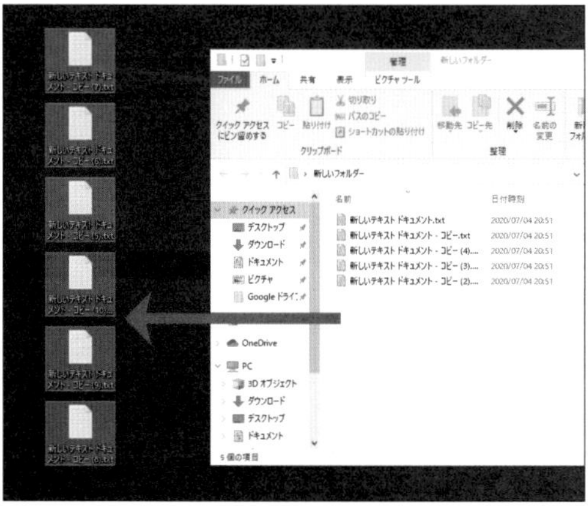

1

例えば、画像のようにファイルを誤ってフォルダからデスクトップに移動させてしまったとします。

2

ほかの動作を行わず、「**Ctrl**」キーを押しながら、「**Z**」キーを押します。

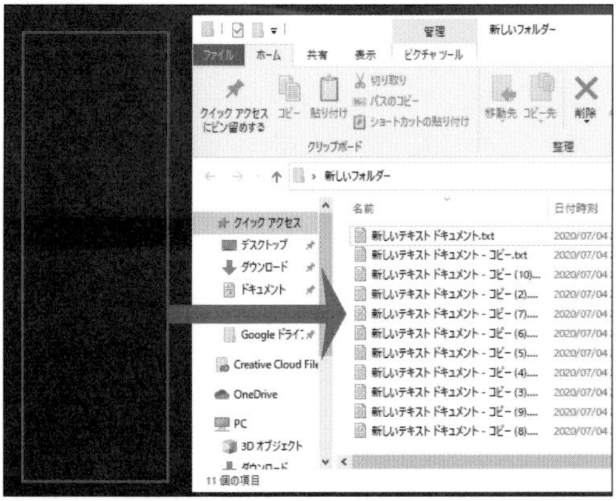

3

ファイルの移動がキャンセルされ、移動されたファイルが元の場所に戻ります。

Point

- 「Ctrl+Z」はひとつ前の状態に戻すショートカット
- 直前の動作を元に戻せる
- 直前の動作がキャンセルされるので、誤作動に注意
- 「右クリックメニュー」からでも元に戻せる

CPUとは?

家電量販店などで売られているパソコンやスマートフォンには、必ずといっていいほど「CPU(シーピーユー)」についての表記があります。

CPUは、人間でいう脳のような働きをする部品です。CPUが高性能だと処理能力が高くなります。では、その違いをどのように判断したらよいか、例をもとに解説していきましょう。

例えば、「Intel core i5 8265 U 2.1GHz 2コア 4スレッド」と表記されているとします。重要な部分は「Intel Core i5 8265 U」で、ここを理解できれば十分です。最初の「Intel(インテル)」は、CPUの会社名を表しIntelとAMDの2社が有名で、今回の表記はIntel社製品という意味です。次の「Core i3(コアアイスリー)」は種類です。Intelには主に「Core i3」「Core i5」「Core i7」という種類があり、AMDには「Ryzen(ライゼン)3」「Ryzen5」「Ryzen7」という種類があります。数字が高いほうが高性能で、一般用途では「Core i3」「Ryzen3」がよく使用されています。

「8265」は型番ですが、先頭1桁が重要で「8」は世代を表しており、この場合は第8世代です。世代が上がると性能も上がり、現在は「10210」と、先頭の2桁で第10世代を表しています。アルファベットの「U」は追加機能を表し、通常より消費が少ないノートパソコン等のモバイル向けという意味です。

それぞれの表記の意味がわかれば、パソコンの性能を比較することができるので、ぜひ覚えておきましょう。

表記例 **Intel core i5 8265 U**

- Intel…**会社名**
- core i5…**種類**
- 8265…**型番で先頭1～2桁が世代を表す**
- U…**追加機能**

1章 | Excel 初級編

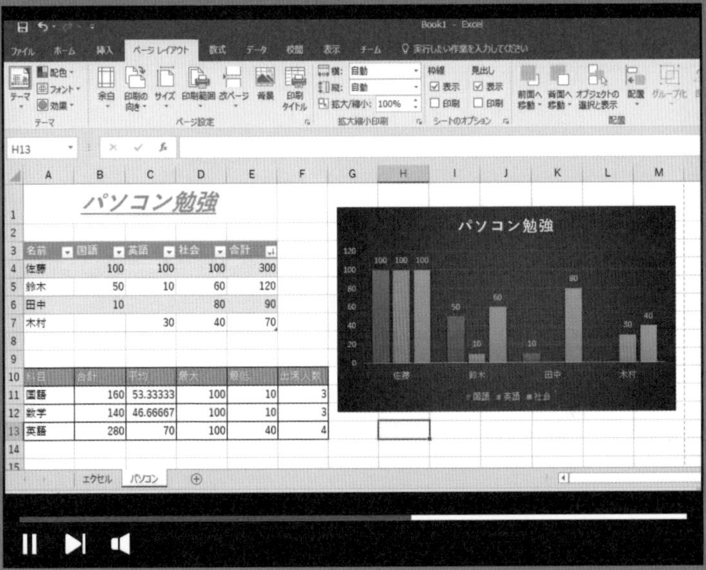

本章では、Excelに初めて触れる方やExcelの操作が苦手という方に向けた、Excelの基礎知識を紹介していきます。Excelがどのようなもので、基本操作はどうすればよいのか、しっかりと理解しておきましょう。

動画でまとめて学ぶ

https://pasonyu.com/book324

Excelとは?

▶ Excel は表計算ソフト

Excelとは、マイクロソフト社が開発・販売している「**Microsoft Office**」に含まれる表計算ソフトです。

項目や数値を打ち込んで**表**を作り、さまざまなデータを見やすくすることが可能ですが、一番の特徴はさまざまな**計算**が行えるところです。合計を即座に出したり、平均や最大値、最小値、条件に合致する項目の数などを簡単に算出したりできます。

また、表のデータをもとに**グラフ**を作成することもできます。**表の作成や計算を簡単に行えるソフト**、それがExcelなのです。

	国語	英語	社会	合計
	50	10	60	120
	100	100	100	300
	10		80	90

	合計	平均	最大	最低	出席
	160	53.3333	100	10	
	110	55	100	60	
	240	80	100	60	

1

Excelは左のような**表**を簡単に作成することができます。さまざまな計算ができるので、必要な数値を算出することが可能です。

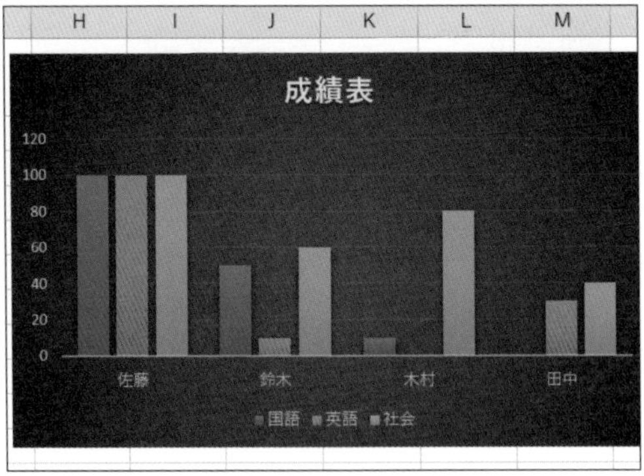

2

また、表をもとに**グラフ**を作成することも容易です。

新規ファイルを作成する

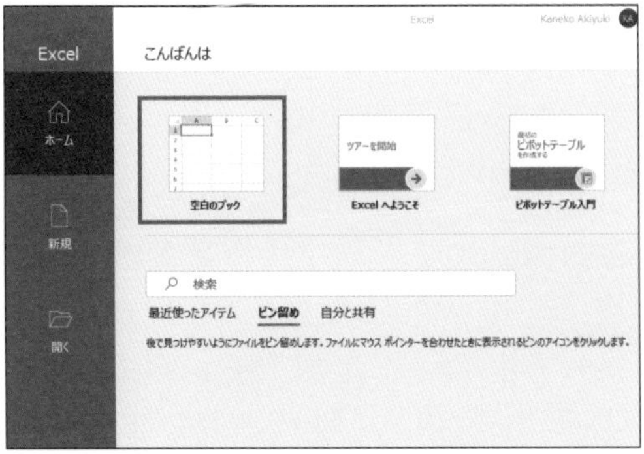

1

19ページ紹介した方法でExcelを開き、「**空白のブック**」をクリックすることで新規ファイルを作成することができます。

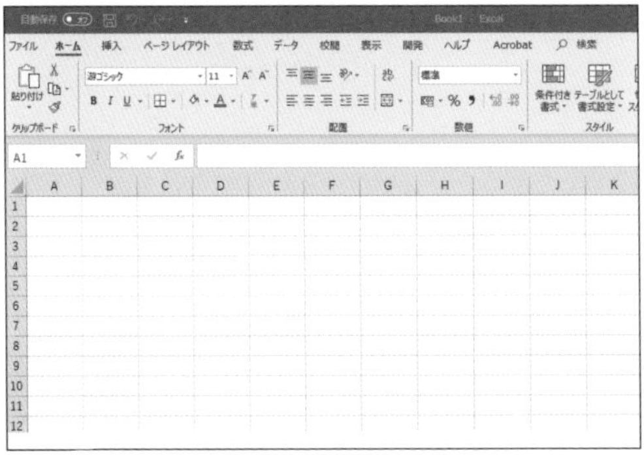

2

Excelの起動画面となり、Excelを学ぶ準備ができました。「空白のブック」に文字を入力し、表やグラフを作成していきましょう。

Excelの理解に必須な3つの用語

▶ 最低限必要な用語を覚えよう

Excelを勉強し始めると、さまざまな用語が出てきますが、その中でも大事な用語が**3つ**あります。それは、「**セル**」「**ワークシート**」「**タブ**」です。この3つがわかっていないと、Excelはほとんど理解できません。まずはこの用語だけでも覚えておきましょう。

セルとは

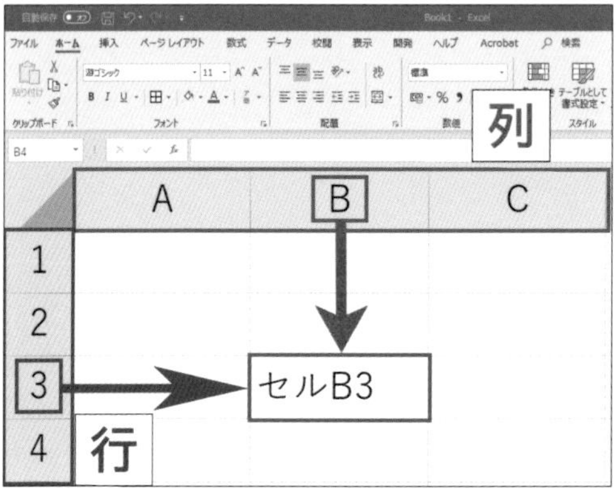

格子状のマスのことを「**セル**」といい、縦のセルを「**行**」、横のセルを「**列**」と呼びます。画像の場合は「B列」の「3行目」なのでセルを「B3」と表現します。

ワークシートとは

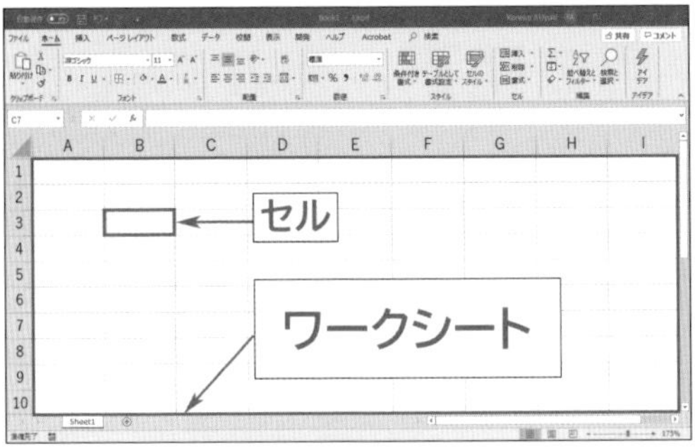

たくさんの「セル」で構成された作業範囲全体のことを「**ワークシート**」といいます（「ワークシート」は「シート」とも呼ばれることが多いです）。

タブとは

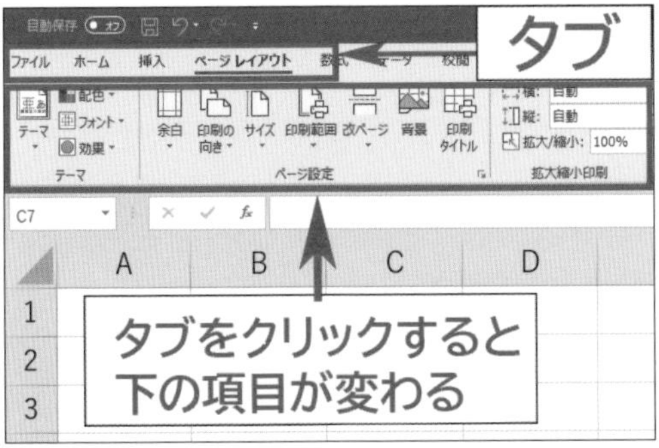

画面上部には「**ホーム**」「**挿入**」などのボタンが並んでいます。このボタンを「**タブ**」といい、「**ホームタブ**」「**挿入タブ**」などと表現します。タブをクリックすると、下の項目が変わります。

Point

- ☑ 「セル」とは、格子状のマスのことで、縦のセルは「行」、横のセルは「列」
- ☑ 「ワークシート」とは、全体的な作業範囲のこと
- ☑ 「タブ」とは、項目を切り替えるメニュー上のボタンのこと
- ☑ 「ホームタブ」をダブルクリックすると「タブ」が常時表示される

タイトルを作成する（入力、大きさや色の変更、セルの結合）

▶ 表のタイトルを作る

まずはタイトルを作成しましょう。タイトルを作成する際には**「文字の入力」「文字の大きさの変更」「文字の色の変更」「セルの結合」**の4つが主に使用する大事な機能となりますので、しっかり覚えておきましょう。なお、入力後に削除したい場合は**「Delete」**キーで削除できます。

文字を入力する

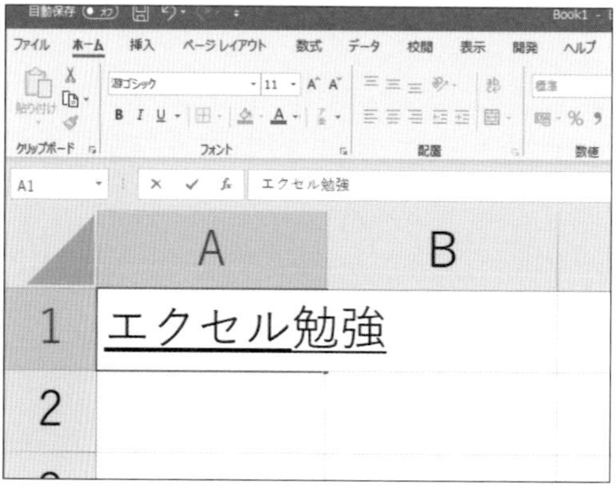

セルA1を選択して、文字を入力します。「エクセル勉強」と入力して**「Enter」**キーを押しましょう。

文字の大きさを変更する

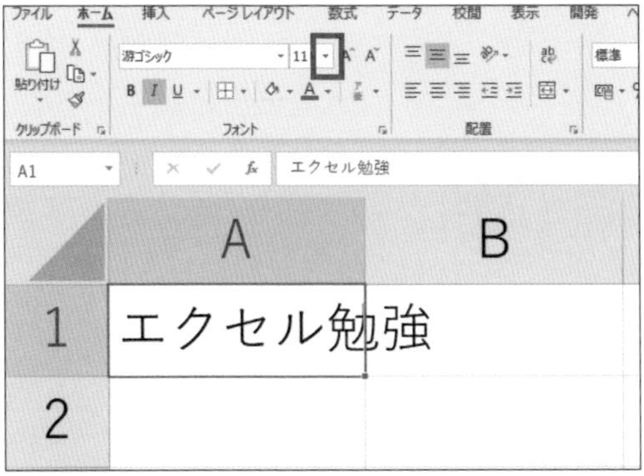

1

「**ホーム**」画面の左上、「A」のマークがふたつ並んだ横に「**フォントサイズ**」の入力欄があります。横の下向き三角形を押しましょう。

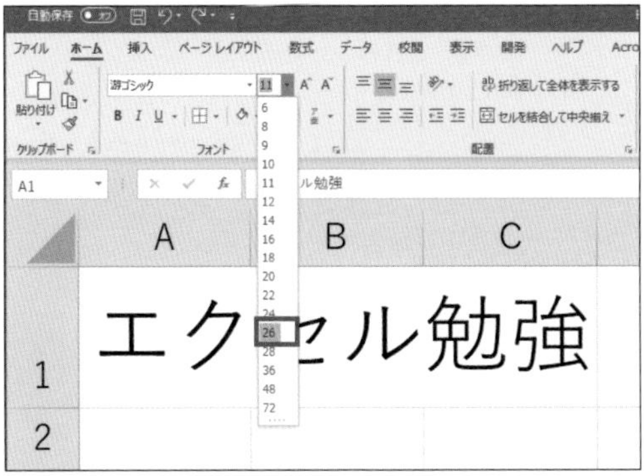

2

カーソルを数字に合わせると、フォントサイズが変わり、文字が大きくなります。数字が大きいほど、文字は大きくなります。今回は「26」に設定します。

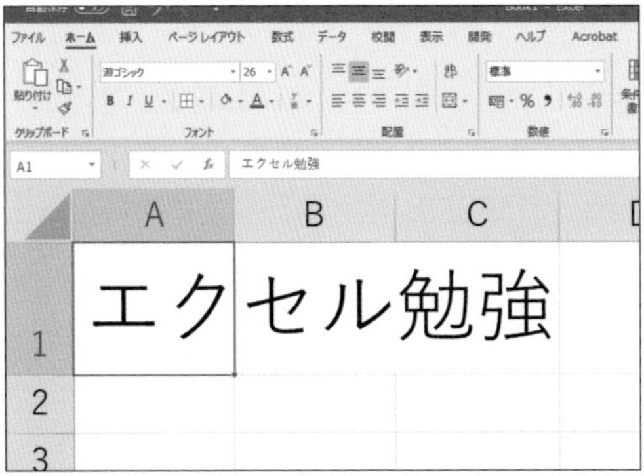

3

設定が反映され、フォントサイズが大きくなりました。セルに収まらない場合は、**セルからあふれたまま**表示されます。

文字の色を変更する

1

文字の色を変更してみましょう。まず、セルA1を選択します。次に、「フォントサイズ」の入力欄下、**色つきの下線が引かれた「A」マーク**をクリックします。

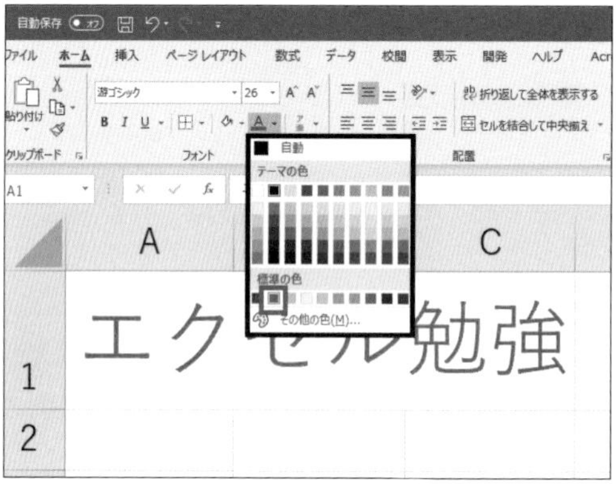

2

「フォントの色」ウィンドウが開き、色を変更できます。今回は赤を選びましょう。

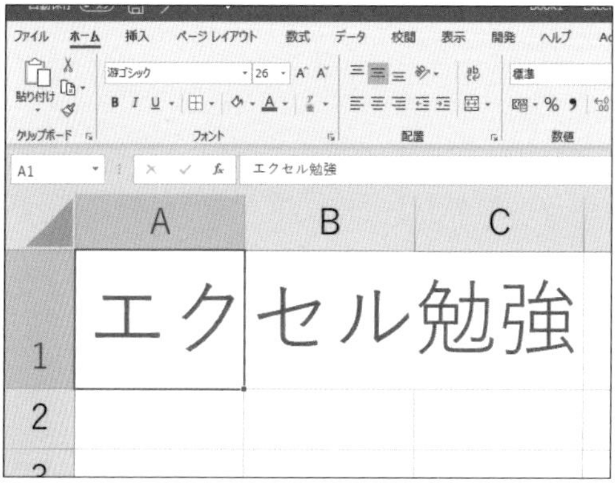

3

「フォントの色」ウィンドウから赤を選びクリックすると、フォントの色が赤に変わりました。

セルを結合する

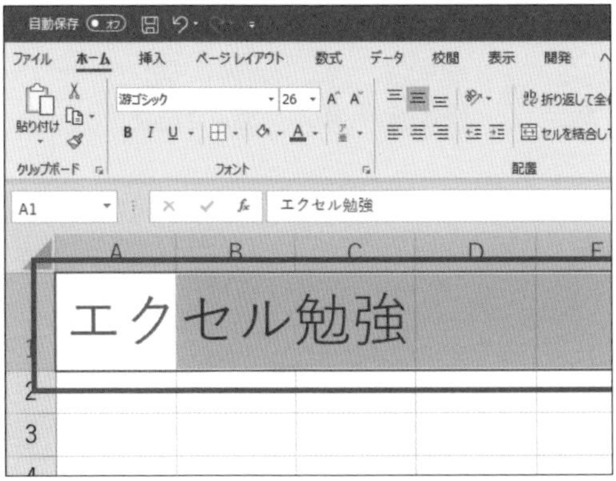

1

結合したいセルを**選択**します。今回はA1からE1までを結合します。

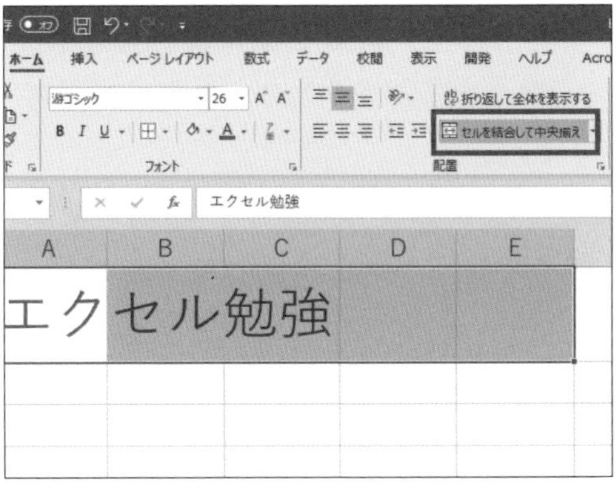

2

「**ホーム**」画面の中央あたりにある「**セルを結合して中央揃え**」をクリックします。

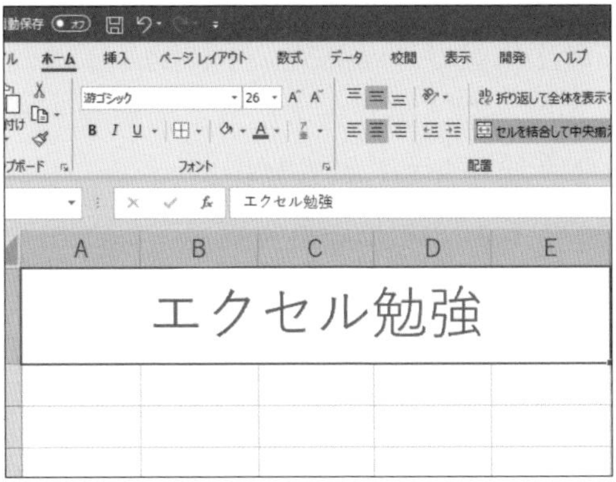

3

セルが結合され、文字が中央に移動しました。タイトルなどは結合すると見やすくなります。

画面を拡大・縮小する

▶ 画面の文字を見やすくするふたつの方法

Excelには、画面全体を拡大したり、縮小したりする機能があります。

Excelで細かい作業をしていると、画面の文字が小さくて見づらいことがあります。そんな場合に拡大機能を使えば作業がしやすくなるでしょう。また、表全体の構成を俯瞰したいときなどにも、画面を縮小することで見やすくなります。

Excelの画面の右下に、**バー（ズームスライダー）**があります。このバーを右側に動かすと画面を拡大でき、左側に動かすと縮小できます。見やすい大きさまで動かしてみて、調整してみてください。

このほかに、「**ショートカット**」を使って画面を拡大・縮小する方法があります。キーボードの左下にある「**Ctrl**」キーを押しながら、**マウスのホイール**を上や下に回すと、画面の大きさを変えることができます。マウスを上に動かすと拡大、下に動かすと縮小します。マウスを使える人は、右下のバーよりもこのショートカットのやり方を覚えたほうが簡単かもしれません。

必要に応じて、自分の見やすい大きさに画面を変えることができれば、作業効率はより上がります。

右下の拡大・縮小バー
（ズームスライダー）

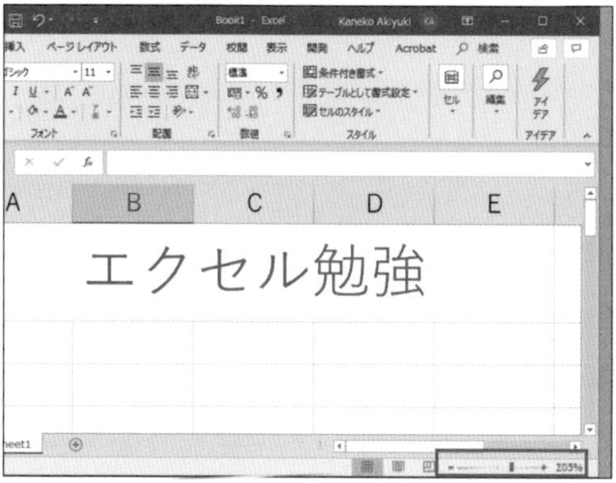

右下にあるバーを右側に動かすと拡大し、左側に動かすと縮小します。

「Ctrl+マウス↑↓」

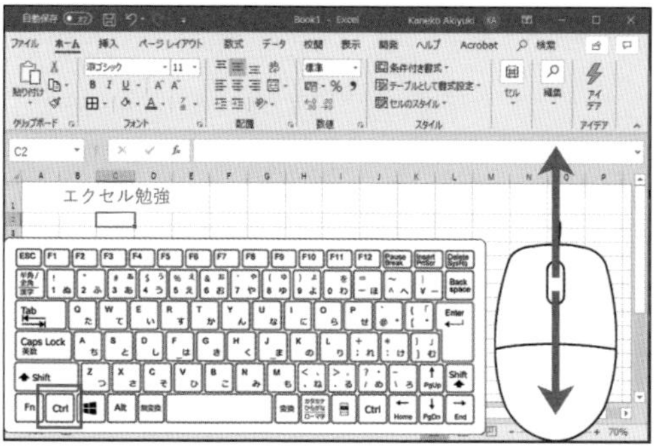

キーボードの「**Ctrl**」キーを押しながら、**マウスのホイール↑で拡大、↓で縮小**します。

表の作り方の基本を知る

▶ まずは「項目」を作って入力しよう

実際にExcelで表を作ってみましょう。表の作り方にはコツがあります。基本を押さえておけば、どんな表でも簡単に作成できるようになります。逆に基本がわからないまま適当に表を作り始めてしまうと、グチャグチャな表になってしまうこともありますので、まずは表の作り方の基礎をしっかりと理解しておきましょう。

表を作るときのコツ、それは、まずはじめに表の一番上に「**項目**」を作ることです。

「項目」とは、「**すべての人に共通するもの**」を指します。例えば、名前や住所、電話番号やふりがなといった、記入用紙を渡したら全員が記入するようなもの、それが「項目」になります。Excelでは表の一番上の「項目」のことを「**見出し**」ともいいます。覚えておくと今後の役に立つでしょう。

「項目」を最初に入力したら、その項目に当てはまるデータを、その下にどんどん入力していきます。これが、Excelで表を作る際の基本になります。

表の見方

表の一番上、「名前・国語・数学・英語・合計」が「**項目**」です。

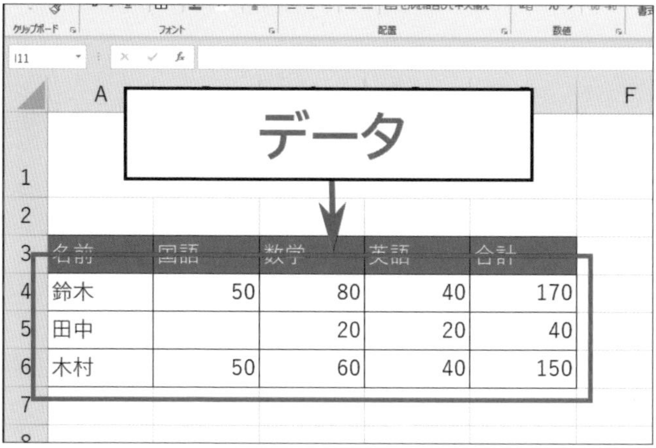

項目の下に当てはまるデータを入力していくことが表の作り方の基本です。

実際に表を作ってみよう

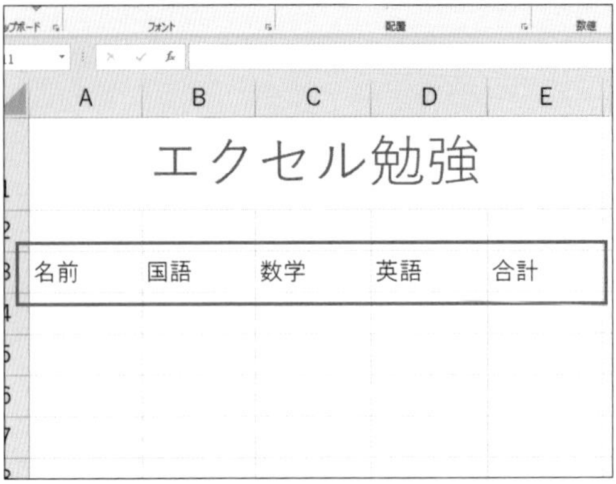

1

セルA3からE3に名前、国語、数学、英語を「**項目**」として順に入力していきます。

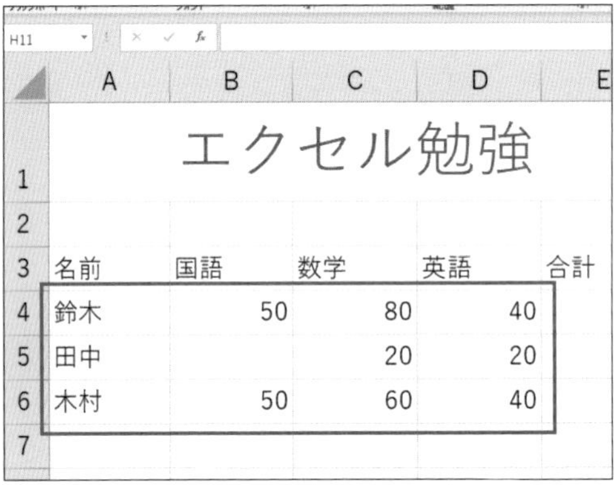

2

次は、「**データ**」として名前とそれぞれの点数を入力します。合計点は58ページの「**関数**」を学んでから入力する必要がありますので、今回は空けておきます。

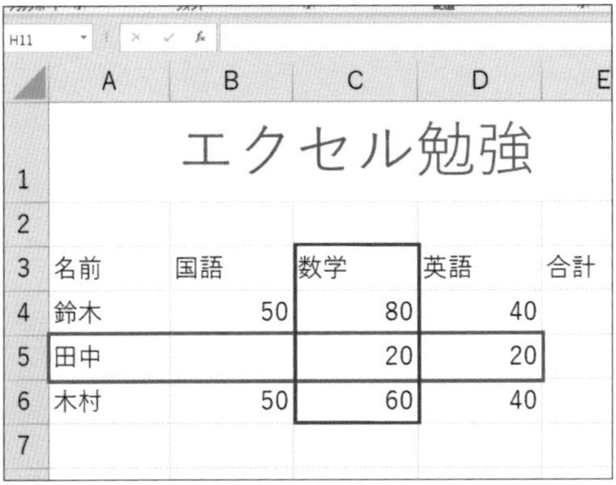

3

入力が完了しました。**セルの内容は横軸と縦軸の交差で表される**ので、「田中さんが数学で20点」という見方をします。

セルの縦幅や横幅を変更する

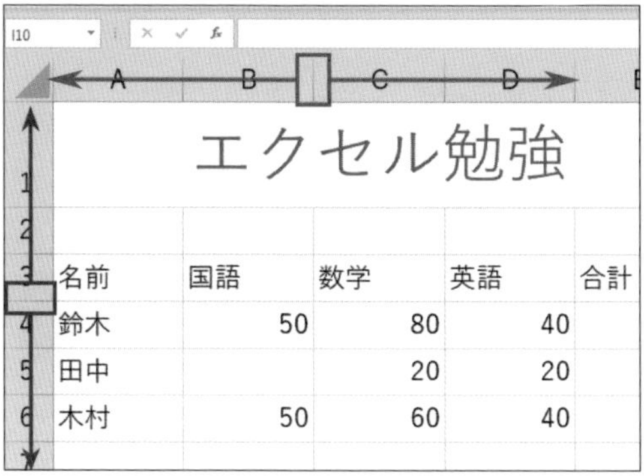

セルに文字が収まらない場合は、列のアルファベットの間をドラッグすることで**横幅**を変更できます。また、行の数字の間をドラッグすると**縦幅**が変更できます。

行や列の挿入・削除

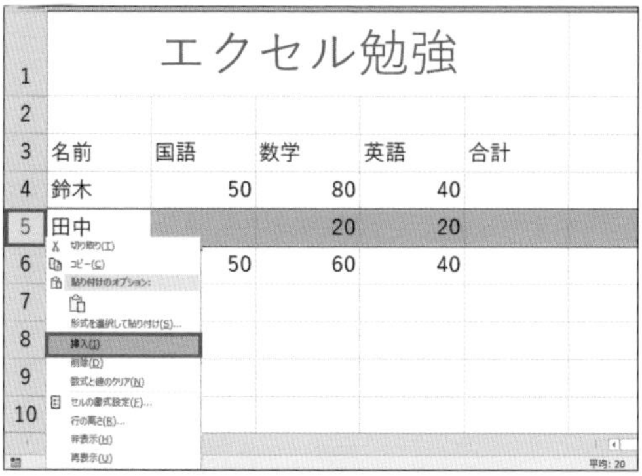

1

項目やデータが増えた場合でも、行や列を挿入することができます。挿入したい行や列を選んで右クリックし、メニューから「**挿入**」を選択しましょう。

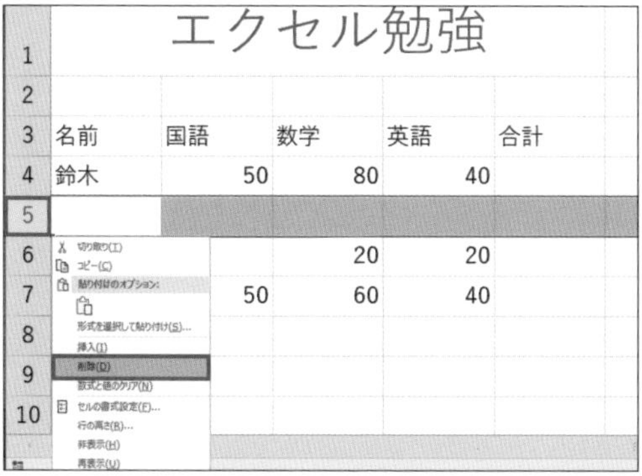

2

5行目に行が挿入されました。なお、行を削除する際は同じく右クリックから呼び出せるメニューで「**削除**」をクリックします。

項目に背景色をつける

▶ 項目を目立たせる

セルに文字や数字が並んでいるだけでは、項目とデータの区別がつきにくく、表も見にくいです。わかりやすくするため、項目に**背景色**をつけておきましょう。背景色は濃いほうが目立ちますが、文字が見えにくくなります。その場合は「**フォントの色**」を白に変更します。

背景色を設定する

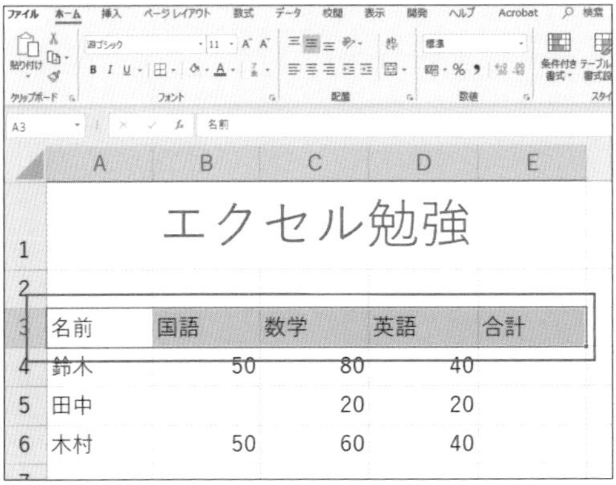

1

背景色をつけたいセルを選択します。今回は項目が入力されたA3からE3を選択状態にします。

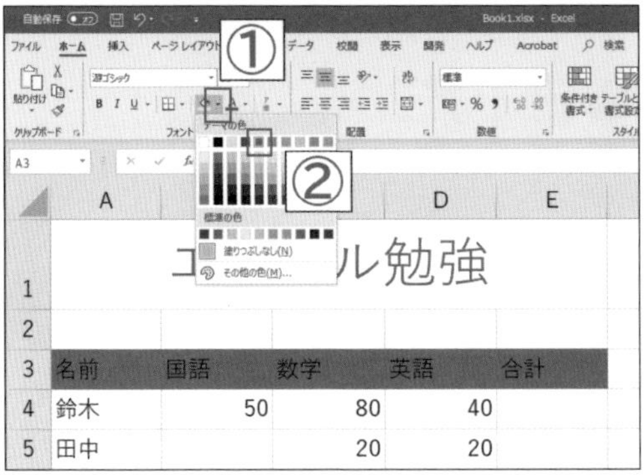

2

①の「**バケツ**」マーク横の下向き三角形から「**塗りつぶしの色**」を②で選択します。項目には濃い色がおすすめです。

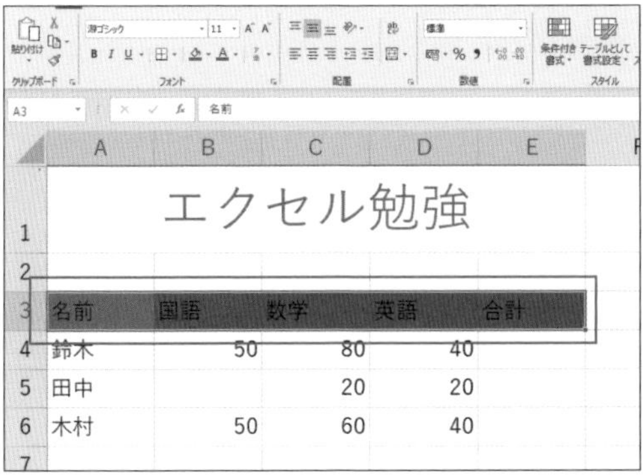

3

項目に背景色がつきましたが、項目の文字が見づらくなってしまいました。

文字を目立たせる

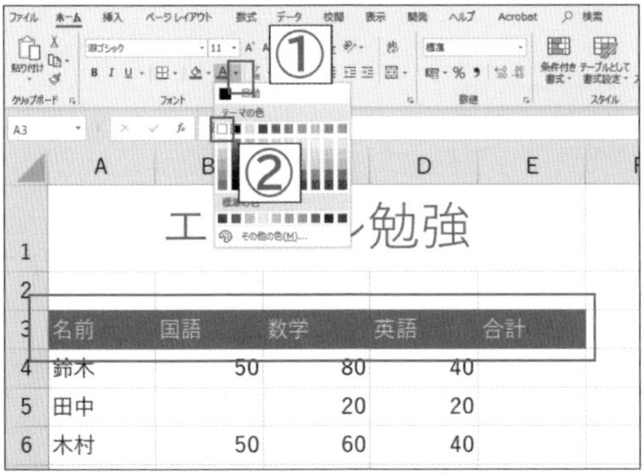

背景色を濃くした場合は、①の「**フォントの色**」で文字の色を②の白に設定することで、項目の文字が目立つようになります。

表に罫線を引く

▶ 印刷時にも表を見やすくする

Excelには、セルの間に薄く線が入っていますが、データ上では罫線が入っていないため、印刷はされません。表として完成させるため、罫線を引いていきましょう。

背景色を設定する

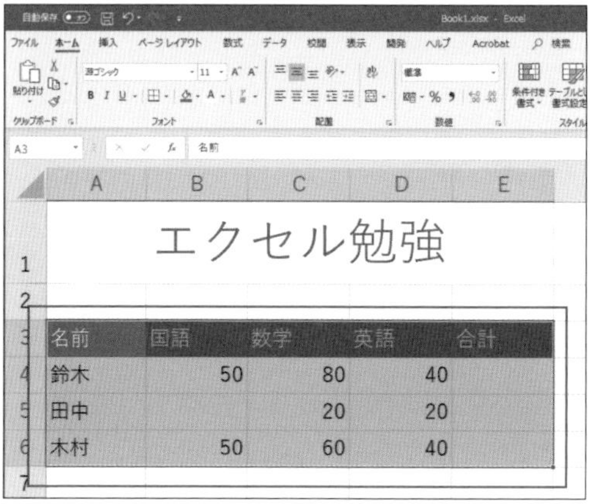

1

罫線をつけたい範囲を選択します。今回は表全体を選択しましょう。

2

「格子状」マーク横の①の下向き三角形から**「罫線」**の種類を選べます。範囲の縦横すべてに罫線を入れるには②の**「格子」**をクリックします。

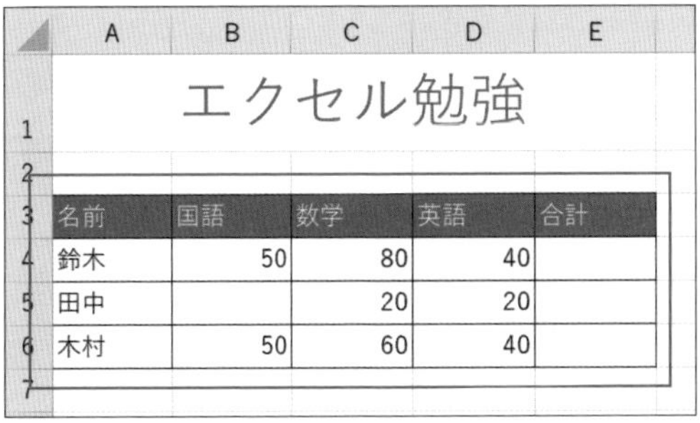

	A	B	C	D	E
1	エクセル勉強				
2					
3	名前	国語	数学	英語	合計
4	鈴木	50	80	40	
5	田中		20	20	
6	木村	50	60	40	
7					

3

表全体に罫線が引かれました。これで表は完成です。

【練習問題】集計表を作成する

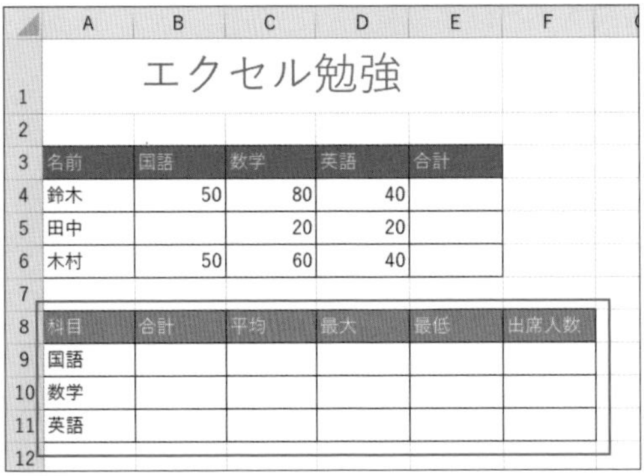

	A	B	C	D	E	F
1	エクセル勉強					
2						
3	名前	国語	数学	英語	合計	
4	鈴木	50	80	40		
5	田中		20	20		
6	木村	50	60	40		
7						
8	科目	合計	平均	最大	最低	出席人数
9	国語					
10	数学					
11	英語					
12						

先ほど作成した表の下に集計表を作成してみましょう。これまで学んだ知識を活かせば作ることができるはずです。

簡単な関数を使用する

▶「Σ」マークの主要関数を覚えよう

Excelには、簡単に自動計算ができる機能があり、これを「**関数**」といいます。Excelで使う式を「数式」といいますが、「関数」は、定型の計算を行うために使われる数式です。Excelで「関数」を使うと、複雑で膨大な計算も手作業とは比べ物にならないほど速く、正確に処理することができます。作業効率が大幅にアップするので、必ず「関数」を使えるようになりましょう。Excelの「関数」は**400種類以上**ありますが、すべてを覚える必要はありません。ここではよく使う数種類をご紹介しますので、使い方を覚えていきましょう。

よく使うExcelの関数

SUM 関数	数値を合計する
AVERAGE 関数	平均を求める
MAX 関数	最大値を求める
MIN 関数	最小値を求める
COUNT 関数	数値のセルを数える

SUM関数＝数値を合計する

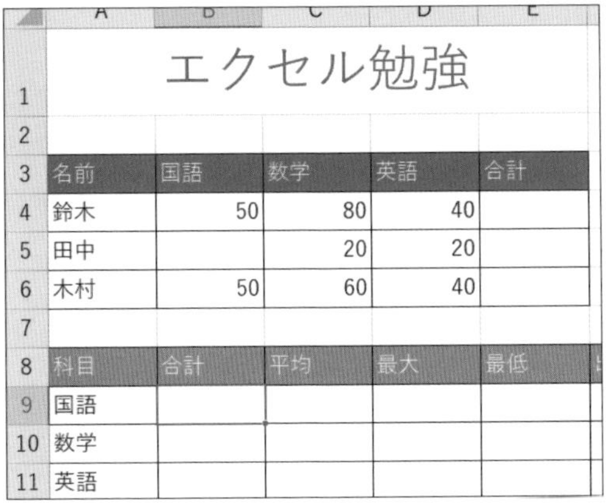

1

計算の答えを表示したいセルをクリックして選択します。今回は国語の合計を出したいのでB9を選択しています。

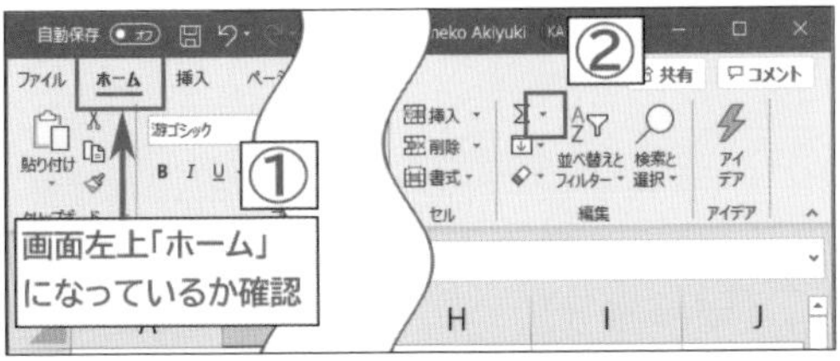

2

①の「**ホーム**」タブの右側にある、②の**Σ**（シグマ）マークの横、下向き三角形をクリックします（「**オートSUM**」と書いてある場合もあります）。

3

「**合計**」のところを押します。

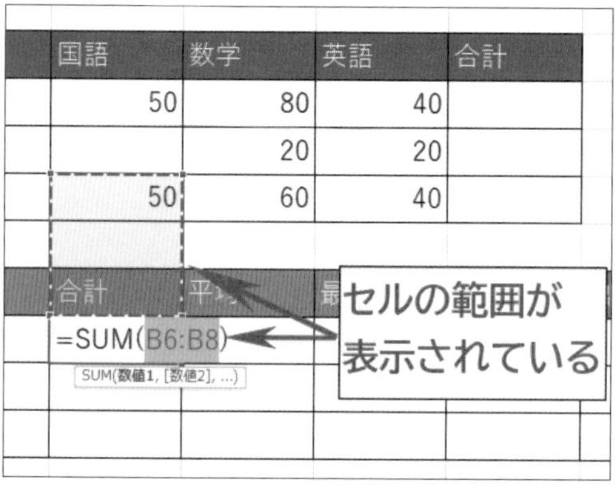

4

青い点線で囲まれた関数が出てきます。青字の（B6：B8）は「**B6からB8までのセルが選択されている**」という意味です。

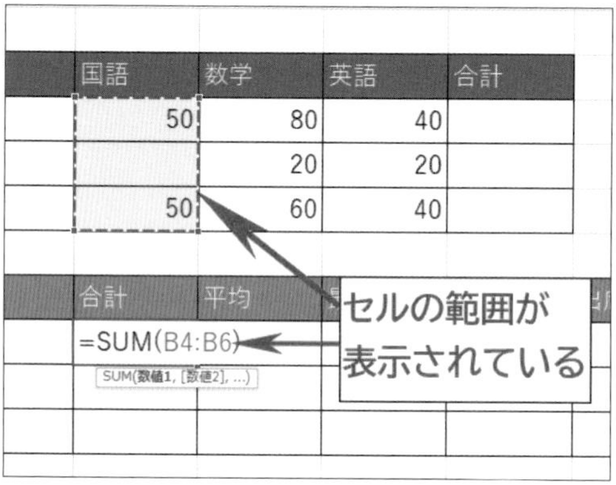

5

青い囲みが出てきたら、クリックしながら下にずらすことで範囲を変更できます。今回は「国語」の点数を合計したいので、B4からB6までのセルを選択します。

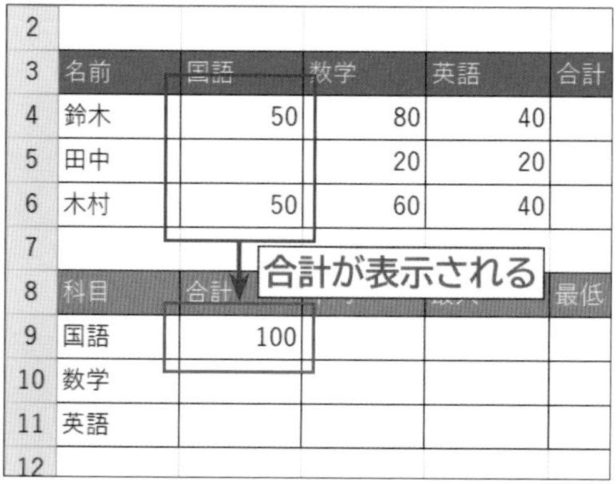

6

セルが選択された状態で「**Enter**」キーを押すと、**「国語」の合計**（B4からB6まで）がB9の中に入ります。

関数は自動計算される

範囲内の数字が変わった場合、**関数の答えも自動で再計算**されます。田中さんの国語の項目に100点を入力すると、合計も自動で100点上がります。

AVERAGE関数・MAX関数・MIN関数・COUNT関数の計算

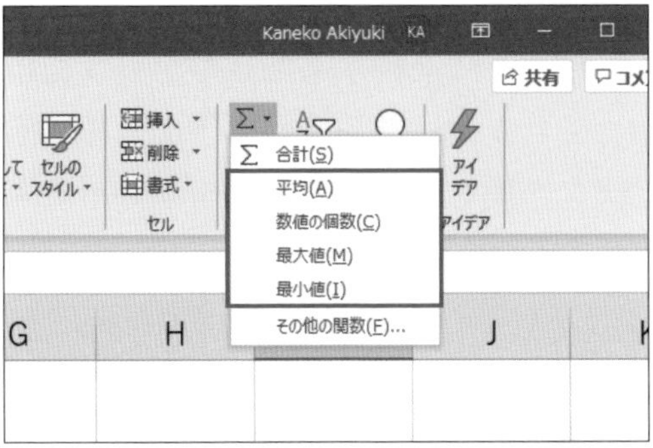

AVERAGE関数・MAX関数・MIN関数・COUNT関数も**SUM関数と同様の方法**で計算できます。

関数の読み解き方

=SUM(B4：B6)

関数　範囲

式の内容

B4からB6までの合計を求める

オートフィルを使用する

▶ 連続する関数にはオートフィルを使って時短！

　表計算をする際に、毎回同じ関数を入力していくのは大変です。例えば、下の表のようにひとりずつテストの合計点を出す場合、その都度Σマークから**SUM関数**をクリックして範囲を選択して……と入力し続けるのはとても手間がかかります。そんなときに使うのが、「**オートフィル**」機能です。
「オートフィル」は、隣接したセルに連続する数式やデータを自動入力する機能です。一番上のセルだけ計算すれば下のセルも自動的に計算されるので、面倒な作業も一瞬で終わります。とても便利な機能なので、ぜひ覚えてください。

同じ式を反映させる

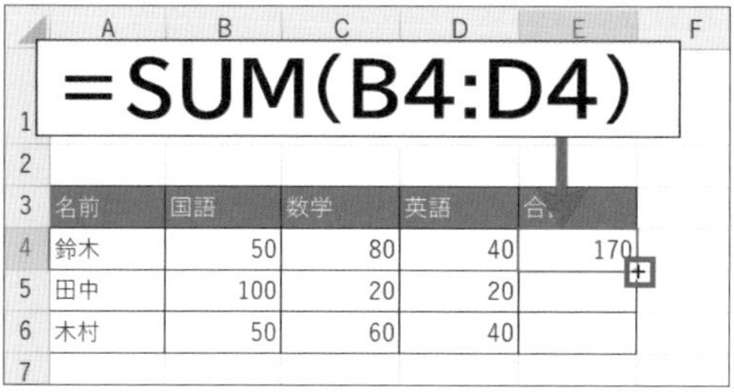

1

E4セルには**SUM関数**が入力されています。緑色の枠の右下にカーソルを合わせると**白い＋**マークが**黒い＋**マークに変わるので、ダブルクリックしましょう。

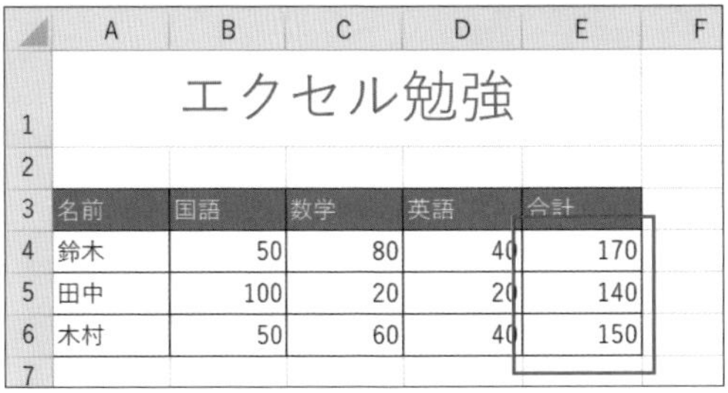

2

下のセルも自動計算されました。**「オートフィル」**機能は自動的に範囲がずれ、同じ関数が入力されます。

オートフィルはドラッグでもできる

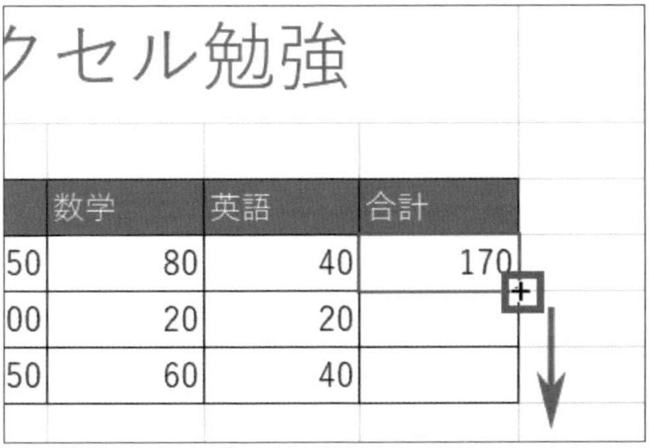

ダブルクリックだけでなく、マウスで**下にドラッグ**することでも「オートフィル」機能を反映させることができます。シーンに合わせて使い分けましょう。

【番外編】連続したデータを作る

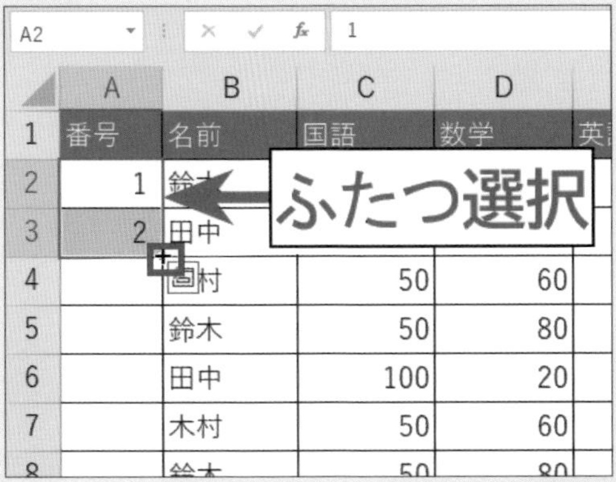

「オートフィル」機能では数式だけでなく、連続するデータを自動入力することができます。連続したふたつの数字を選び実行すれば、あとに続く数字が自動で入力されます。

関数の問題点と数式の確認

▶ 数式が反映されない原因を知る

すごく便利な「関数」ですが、知らずに多用すると困る問題点があります。それは「**関数は範囲が自動で変わらない**」ということです。データが追加されても関数の範囲は変わらないので、気づかないうちに計算がずれてしまう可能性があるのです。そのようなミスを防ぐため、数式の確認方法を覚えておきましょう。

表にデータを追加する

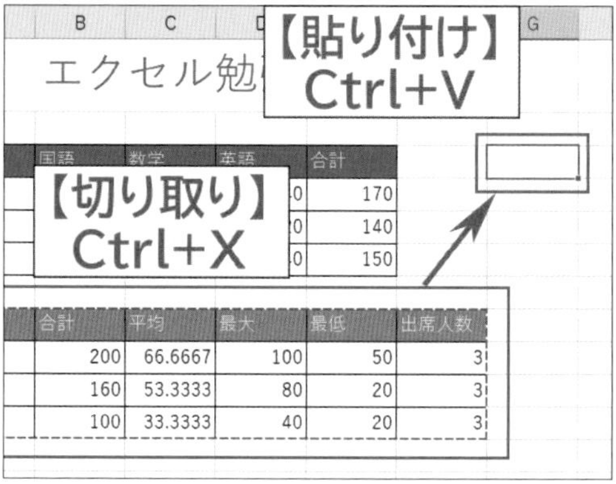

1

集計表があると人数を追加できないので、**切り取り**と**貼り付け**でセルG3に移動します。切り取り範囲は**点線**が表示されます。

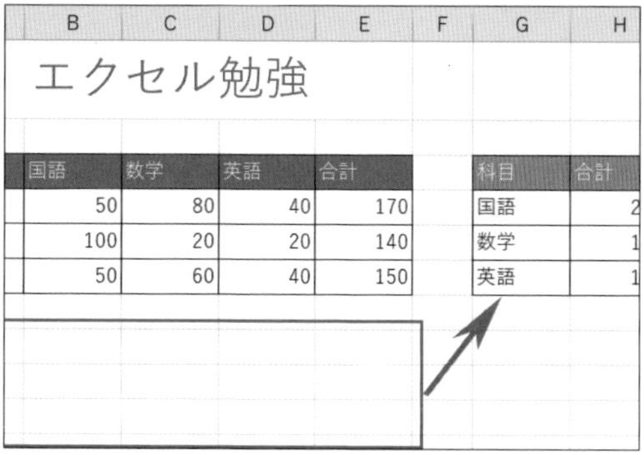

2

集計表が横に移動したことで、人数の追加が可能になりました。表に後藤さんのデータを追加していきます。

範囲が変わらないことで起こる問題

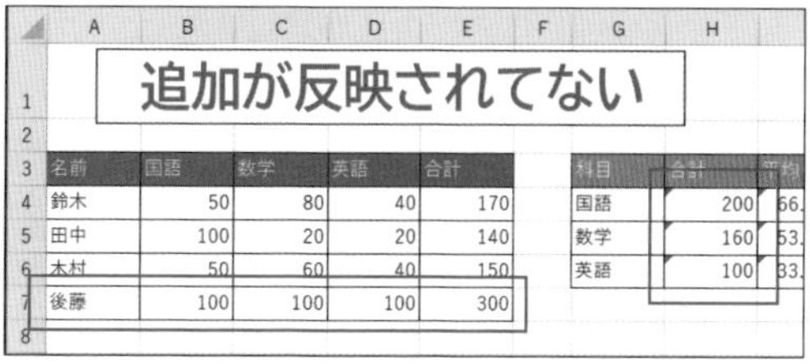

表に後藤さんを追加しても集計表の合計には反映されません。合計セルには範囲がずれている可能性を表す**緑色のマーク**が表示されます。

問題の原因を確かめる

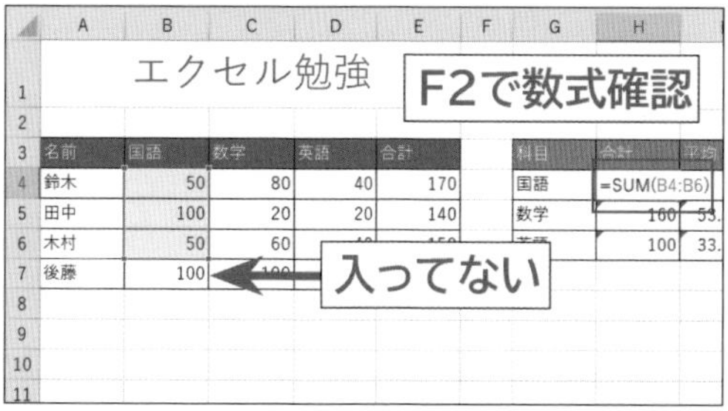

反映されていない理由を確かめるために、「**F2**」キーを押して数式を確認しましょう。青い範囲に追加分が入っていないことがわかります。この問題を解決するのが「テーブル」機能です。

テーブルを作成する

▶表を管理するなら、「テーブル」を覚えるのが近道

Excelには「**テーブル**」という機能があります。テーブルは**追加されたデータを反映する役割**を持っています。

ワークシート内に作成した表は単に「**セルに入力されたデータの集まり**」でしかありませんが、「テーブル」に変換することでひとつの意味のあるデータとして認識されるようになります。このようにすることで、ほかのデータとも関連づけることができ、処理がスムーズになり、管理しやすくなるといったメリットがあります。

「テーブル」機能を使えるようになると、作業効率が大幅にアップするので、ぜひやり方を覚えてください。

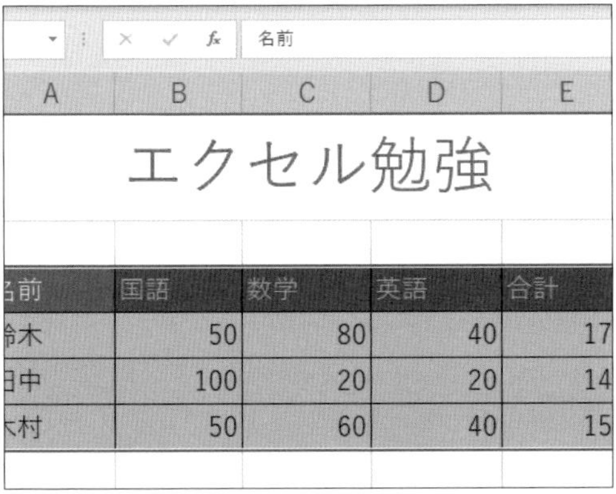

1

「**Ctrl+Z**」を押して後藤さんを追加する前の表に戻しましょう。次にテーブルにするため、**表全体**を選択します。

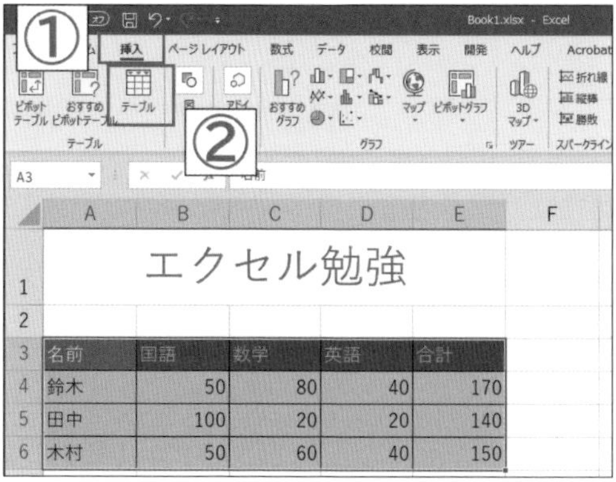

2

メニューバーの①の位置にある「**挿入**」タブを選択し、②の「**テーブル**」のマークをクリックします。

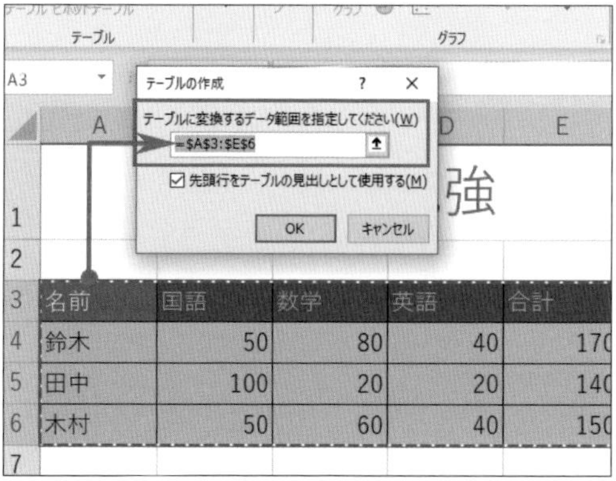

3

「**テーブルの作成**」というボックスが出てきます。「**データ範囲の指定**」の部分は、選択状態の範囲が指定されています。

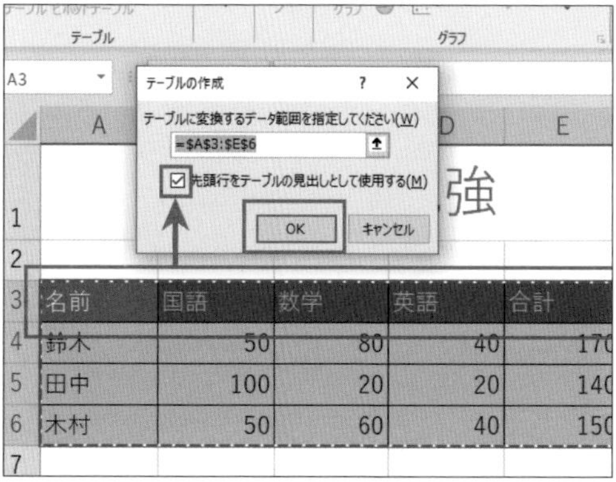

4

「**先頭行をテーブルの見出しとして使用する**」のチェックマークは項目が入力してあるか確認するものです。チェックが入っていることを確認して「OK」をクリックします。

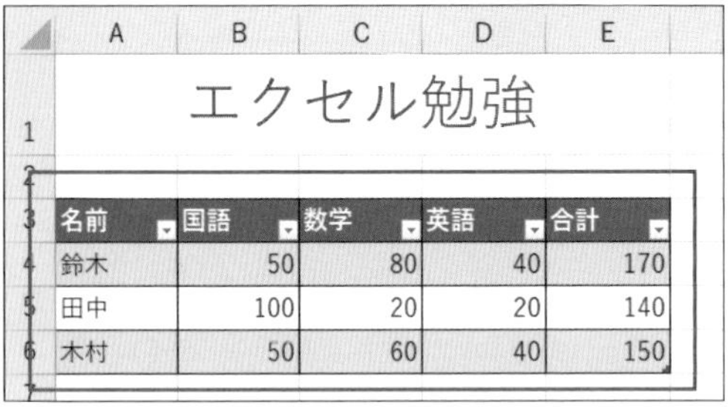

5

自動的に色がつき、「**テーブル**」になりました。テーブルの場合は、データを追加すると、罫線や背景色も自動的に反映されます。

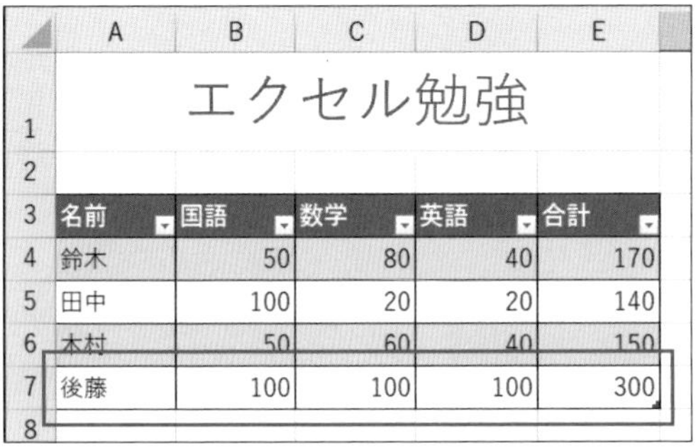

6

後藤さんのデータを追加します。テーブルでは、表の続きと判断され、合計の**SUM関数**にも反映されます。

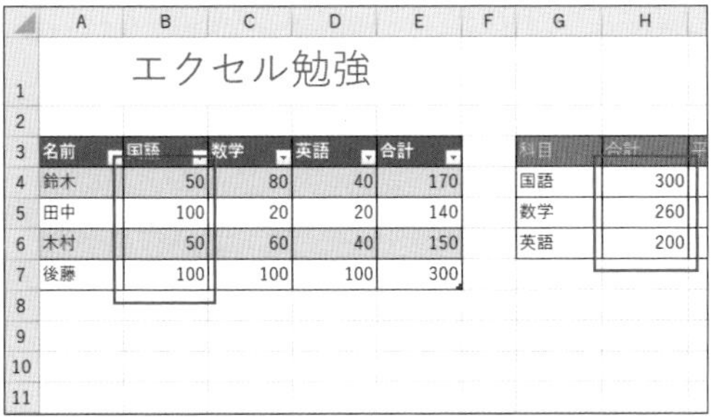

7

合計点数を確認すると、しっかり反映されていることがわかります。また、緑色のマークも消えています。

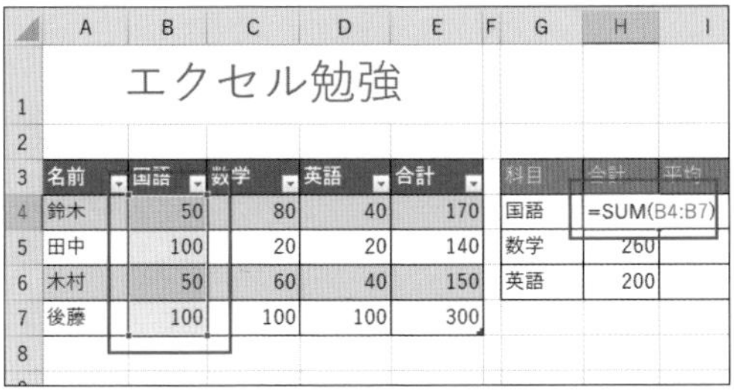

8

「**F2**」キーで数式を見ると、範囲が変わっています。このことから、データが増える可能性のある表には「テーブル」機能を使ったほうがよいことがわかります。

並び替える

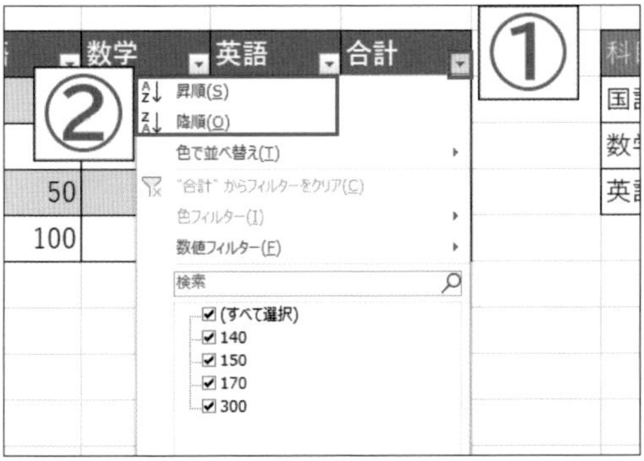

見出し（項目）には自動的に①の下向き三角形がつきます。これを「**フィルター**」と呼びます。クリックすることで**並び替え**が簡単にできる機能です。昇順が小さい順、降順が大きい順です（②）。

データを抽出する

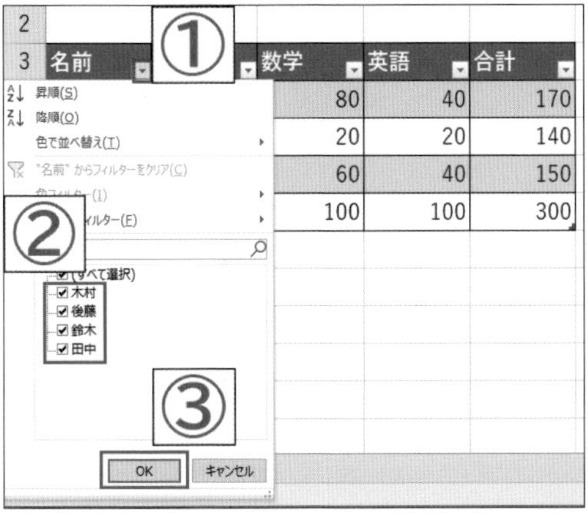

「**フィルター**」はデータを抽出することもできます。①の下向き三角形をクリックし、②で名前のフィルターからチェックマークを外してから、③の「OK」をクリックすると、表示されなくなります。

メモリ(RAM)とは?

パソコンやスマートフォンのスペック（性能）を表すものとして「CPU」と一緒に表記されているのが、「メモリ」の容量です。「メモリ」は「RAM(ラム)」と表記されることもあります。メモリも、パソコンやスマートフォンに必ず入っている部品で、一時的にデータを保存して読み書きするという働きをしています。

CPUがパソコンにとって脳であるのに対し、メモリは作業するための机のようなものです。「メモリ容量」には「GB(ギガバイト)」という単位が使われており、パソコンに搭載されているものは8GBが一般的です。勘違いされやすいですが、一般的なパソコンのメモリ容量を32GBに増やしても動作は速くなりません。処理速度はあくまでも「脳」にあたる「CPU」が関係しており、処理のスピードには「CPU」の性能に依存します。多いメモリ容量は広い机を使うようなもので、作業するスピード自体が速くなるわけではないのです。ですが、「メモリ容量」が少なければ動作は遅くなります。なぜなら、作業する机は広すぎても困ることはないですが、机が狭すぎると物を置くスペースが少なくなるので、処理のスピードがいくら速くても結果的に動作が遅くなるからです。

そのため、自分の作業にあった「メモリ容量」を選ぶことが大事になります。基本的に、WordやExcelのような一般的な作業の場合には8GB、動画編集のような高度な作業をするならば16GB以上の「メモリ容量」が必要になります。パソコンを購入するときは、「メモリ容量」のチェックを意識するようにしてください。

2章　Excel 中級編

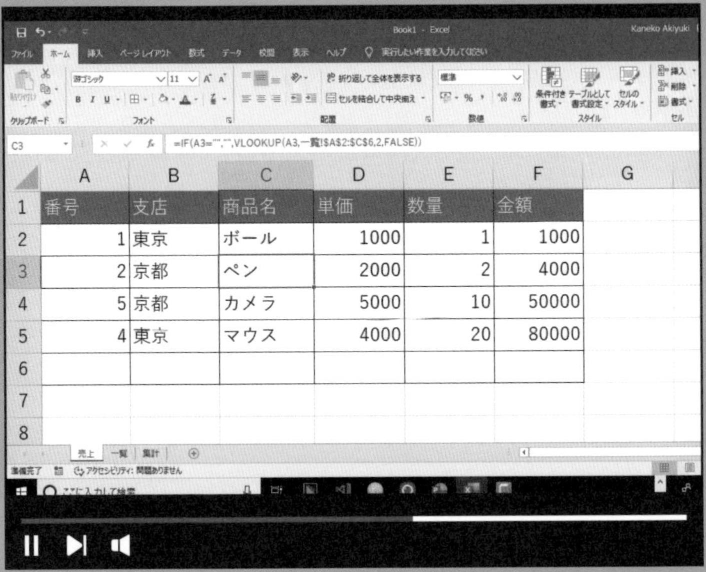

Excelの基礎がわかったところで、本章ではもっとExcelを活用したい方に向けた応用知識を紹介していきます。表作りだけでなく、膨大なデータから目的の情報を即座に表示する方法など、データ作りに便利な機能が満載です。

動画でまとめて学ぶ

https://pasonyu.com/book518

グラフを作成する

▶ 表をグラフにする

初級編で作成した表をもとに「**グラフ**」を作成していきます。グラフの主な作成方法はふたつあります。ひとつ目は「**合計以外をすべて選択**」、ふたつ目は「**名前と合計のみ選択**」です。また、グラフに合計を入れてしまうと、ひとつだけ数字の大きいデータが表示されてしまい、見にくいグラフになってしまうので、その点だけ注意しましょう。今回は縦棒グラフを作成しますが、横棒グラフ、円グラフ、折れ線グラフも同じ手順で作成できます。

各科目の点数のグラフを作成する

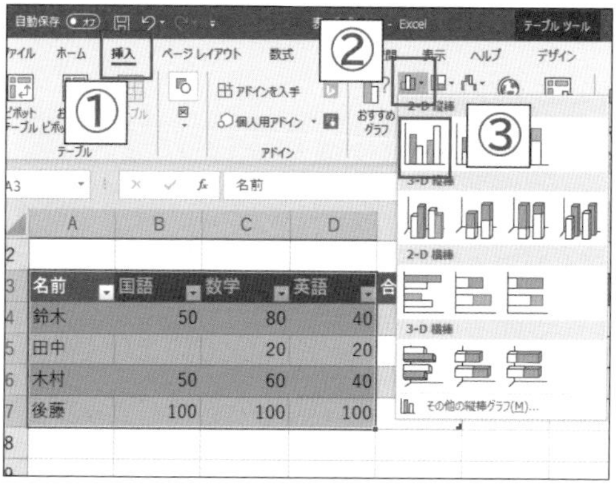

1

表の合計以外をすべて選択します。次に①の「**挿入**」タブから②の「**縦棒グラフ**」アイコンをクリックし、③の「**集合縦棒グラフ**」を選択します。

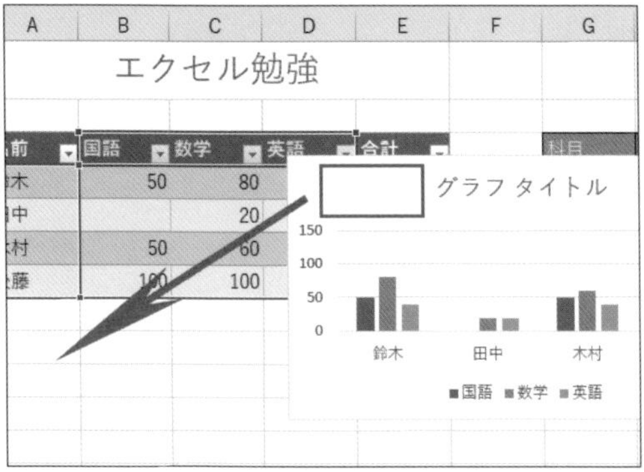

2

グラフが作成されます。グラフ内の何もない空白部分をドラッグすると、グラフの移動が可能です。

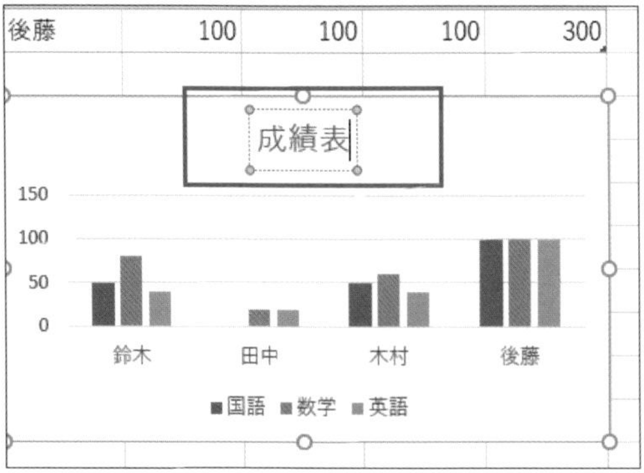

3

「**グラフタイトル**」をクリックするとグラフのタイトルの名前が変更できます。

合計点数のグラフを作成する

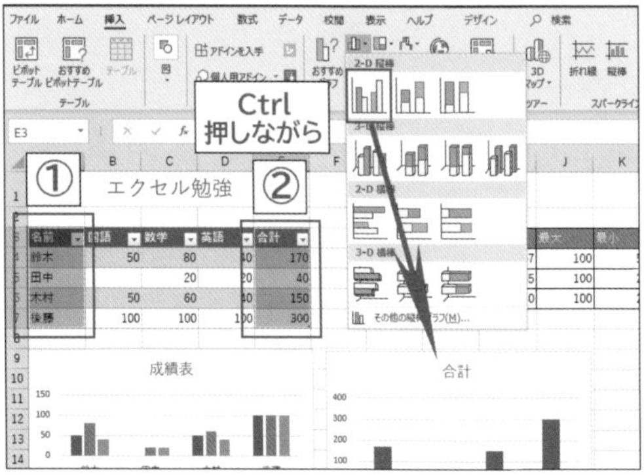

①の名前のデータを選択し、「**Ctrl**」キーを押しながら、②の合計のデータを「**複数選択**」します。あとは同様に「**集合縦棒グラフ**」を選択すれば、グラフが作成されます。

改ページプレビューの使い方

▶ 印刷時のはみ出しを収める

　ワークシートを印刷すると表が途中で切れて2ページになってしまうことがあります。用紙が無駄に消費されることにもなりますので、「**改ページプレビュー**」で印刷範囲を調整し、表を1ページに収めていきましょう。印刷で用紙に収まらないときの対処法として覚えておくと非常に便利です。

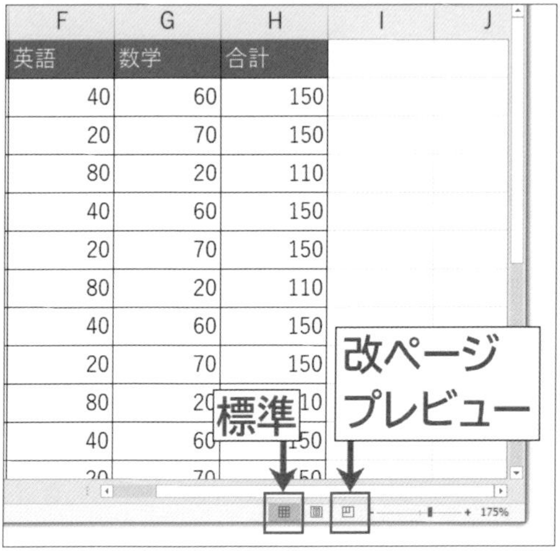

1

イメージ通り印刷できないときは、右下の「**改ページプレビュー**」をクリックしましょう。「**標準**」を押すと元に戻せます。

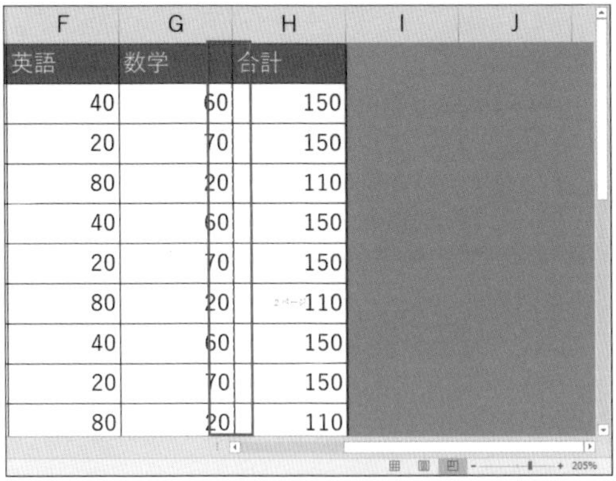

F	G	H
英語	数学	合計
40	60	150
20	70	150
80	20	110
40	60	150
20	70	150
80	20	110
40	60	150
20	70	150
80	20	110

2

画面に**青い線**が表示されます。右端の青い線まで印刷され、「英語」の右に入っている点線が1ページの印刷範囲です。画面が小さければ、右下のズームで拡大してください。

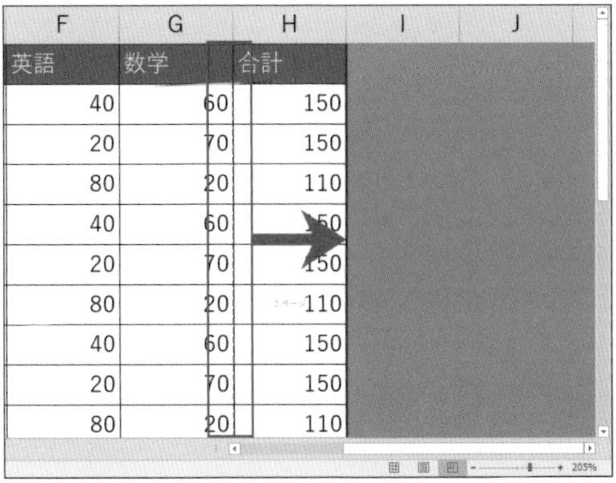

F	G	H
英語	数学	合計
40	60	150
20	70	150
80	20	110
40	60	150
20	70	150
80	20	110
40	60	150
20	70	150
80	20	110

3

「合計」の列をページに収めたいので、**点線**をクリックしながら右へ広げます。はみ出ている列があったら、青い線をクリックしながら（ドラッグ）左に寄せます。

	A	B	C	D	E	F	G	H
1	番号	名前	都道府県	住所	国語	英語	数学	合計
2	1	田中	大阪府	大阪府大阪市	50	40	60	150
3	2	鈴木	東京都	東京都千代田区	60	20	70	150
4	3	木村	神奈川県	神奈川県横浜市	10	80	20	110
5	4	田中	大阪府	大阪府大阪市	50	40	60	150
6	5	鈴木	東京都	東京都千代田区	60	20	70	150
7	6	木村	神奈川県	神奈川県横浜市	10	80	20	110
8	7	田中	大阪府	大阪府大阪市	50	40	60	150
9	8	鈴木	東京都	東京都千代田区	60	20	70	150
10	9	木村	神奈川県	神奈川県横浜市	10	80	20	110
11	10	田中	大阪府	大阪府大阪市	50	40	60	150
12	11	鈴木	東京都	東京都千代田区	60	20	70	150
13	12	木村	神奈川県	神奈川県横浜市	10	80	20	110

4

これで1ページに印刷されるようになりました。**「ファイル」**タブを開いて**「印刷」**を選ぶと、1ページで印刷されることがわかります。

ウィンドウ枠の固定を使おう

▶ スクロールしても見出しが動かないようにする

　縦長の表を下にスクロールすると、見出しも一緒に動いて見えなくなります。そうすると、下図のような成績の表では、それぞれの数字がどの科目の点数かわかりにくくなってしまいます。

　テーブル機能を使った表では、表の中をクリックしてからスクロールすれば列番号の欄に項目が表示されて、どの科目の点数かはわかりますが、それでも少し見にくいです。

　そこで、スクロールしても一番上の見出しが常に見えるようにしていきます。すごく便利なので、ぜひ覚えてください。

「ウィンドウ枠の固定」を設定する

1

1行目に**見出し**がある表を作ります。

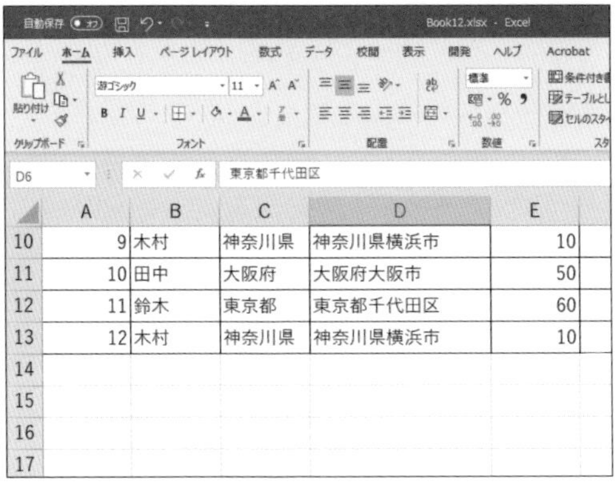

2

下に**スクロール**すると、どの科目の点数かわからなくなってしまいます。そこで、一番上が常に見えるようにしましょう。

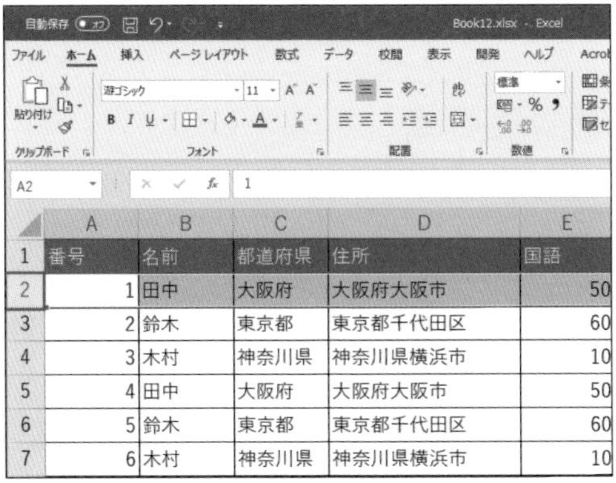

3

残したいところの1行下、ここでは一番上を残したいので**2番目の行**を選択しましょう。

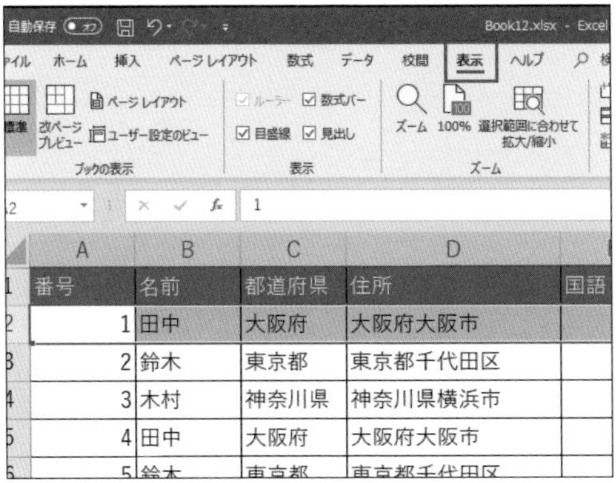

4

「**表示**」タブを押します。

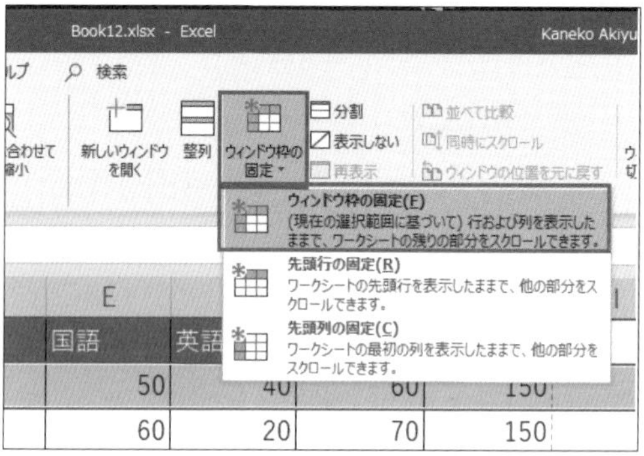

5

「ウィンドウ枠の固定」をクリックすると、項目が表示されるので「**ウィンドウ枠の固定**」を選択します。

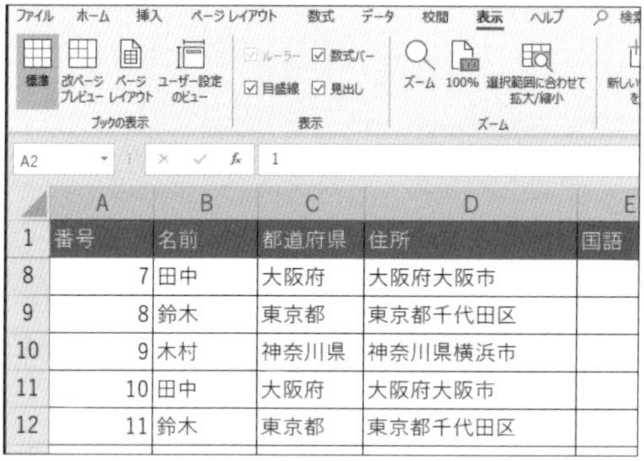

6

一番上の項目が残ったままスクロールができて、国語が何点かなどが常にわかるようになります。

大量のデータを確認する「Ctrl+矢印」

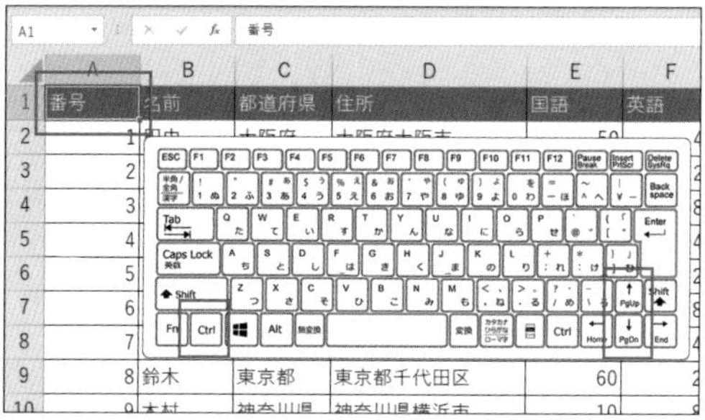

縦にデータが多い表はスクロールが何回も必要になります。「**Ctrl**」キーを押しながら「↓」キーを押すと一番下に移動が可能です。また、「**Ctrl**」キーを押しながら「↑」キーを押すと一番上に移動します。

ウィンドウ枠の固定を解除する

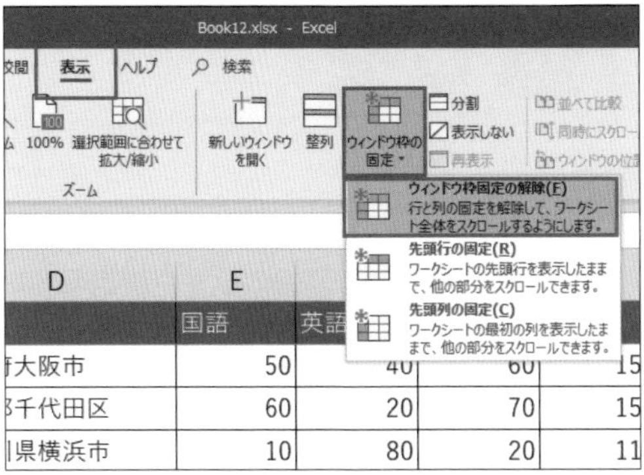

1

固定を解除するときは、選択の必要はないので、「**表示**」タブの「**ウィンドウ枠の固定**」をクリックして「**ウィンドウ枠固定の解除**」を押します。

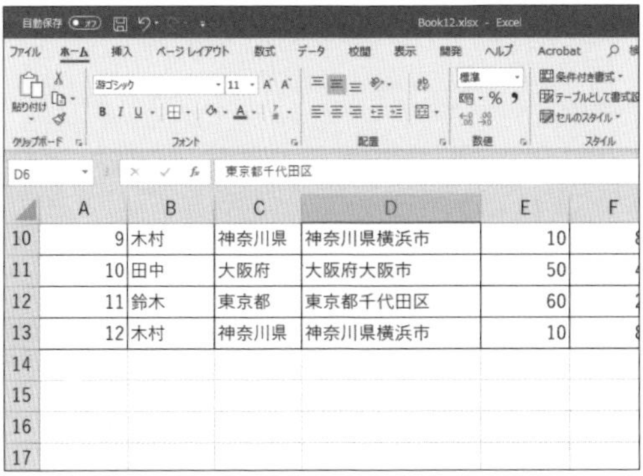

2

固定が解除されて、スクロールすると一番上が見えなくなります。

列を固定するには

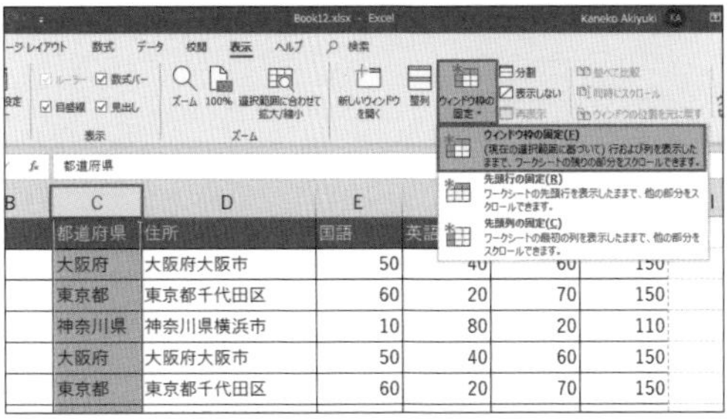

左の表で「都道府県」のところまで残しておきたいというときは、そのすぐ右の列番号「**E**」をクリックし、「**ウィンドウ枠の固定**」を選んでください。

印刷の繰り返しを設定しよう

▶ 2ページ目以降にも表の見出しを印刷する

ページをまたがる表を印刷すると、1ページ目には表の一番上にある**見出し**が印字されますが、**2ページ目以降**には入りません。表の見出しは1ページ目にだけしか入力されていないためです。これでは、例えば成績の表を印刷したときに、2ページ目では、どの科目の点数かわからなくなってしまいます。そこで**見出し**が各ページに印刷されるようにしましょう。印刷関係の設定は「**ページレイアウト**」タブから操作していきます。

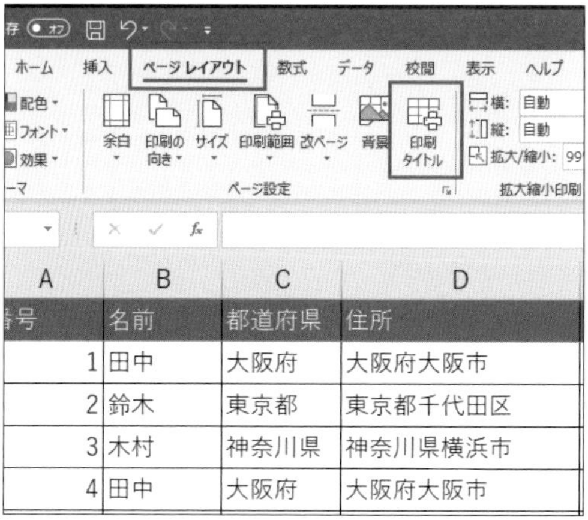

1

「**ページレイアウト**」タブを開き、「**印刷タイトル**」をクリックします。

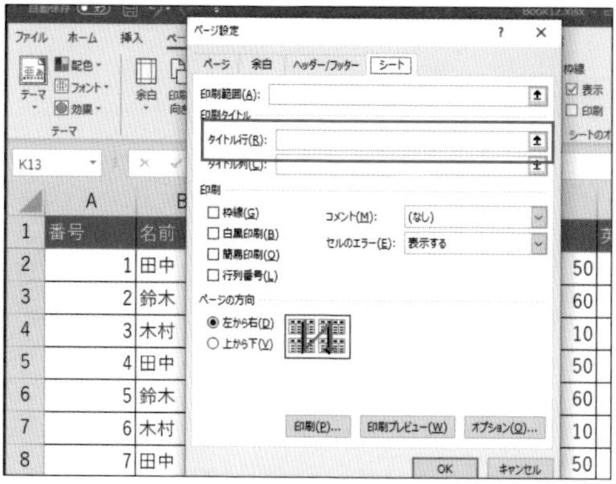

2

「タイトル行」と**「タイトル列」**があります。行は横、列は縦のことです。ここでは「タイトル行」の入力欄をクリックします。

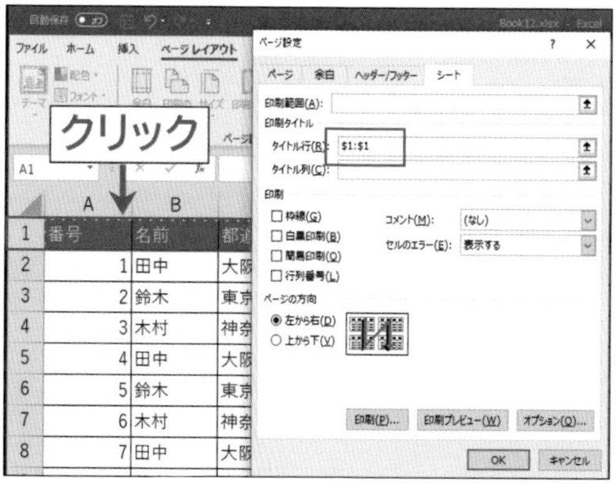

3

1行目のセルを、どれでもよいのでクリックして行を選びます。クリックしながら下に動かして複数行を選ぶこともできます。**「OK」**をクリックします。

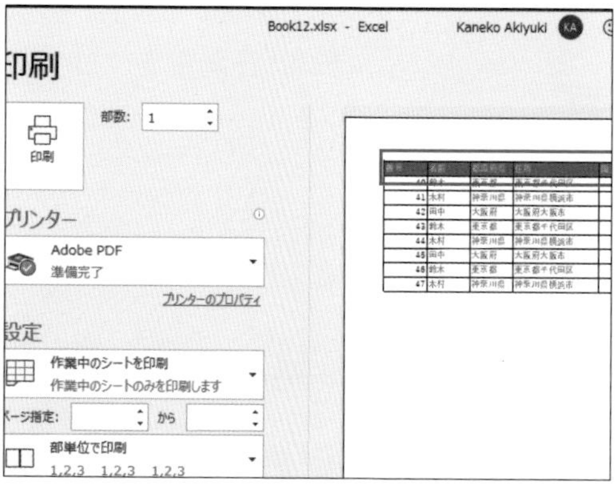

4

そうしたら、印刷を見てみましょう。**「ファイル」**をクリックして**「印刷」**です。2ページ目にも**見出し**が入っています。

表示形式の変更

▶ 数値のまま単位を追加する

金額の計算など、文頭に「¥」などをつけると表が見やすくなることがあります。しかし、Excelでは計算に使用する数字に「¥」などの単位を入力してはいけません。Excelは「文字列」と「数値」を分けて判断しており、「100円」など入力すると「文字列」として認識されてしまい、計算ができません。ここでは、**「表示形式」**を使用し、Excel上では「数値」、画面上では「¥」が入力されている状態に変更してみましょう。

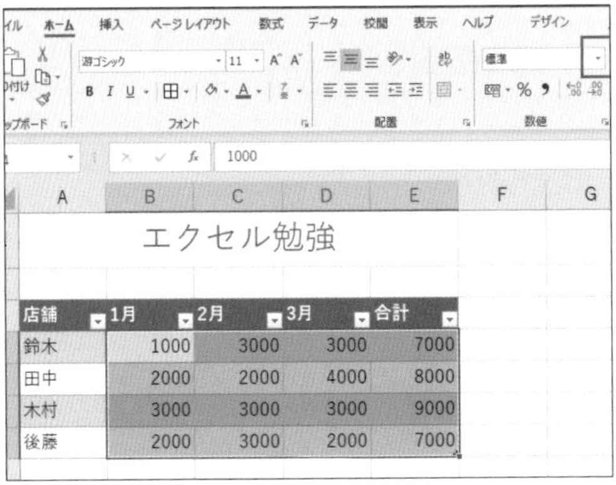

1

表示を変更したいセルを選択し、「**ホーム**」タブの「**標準**」の右にある下向き三角形をクリックします。

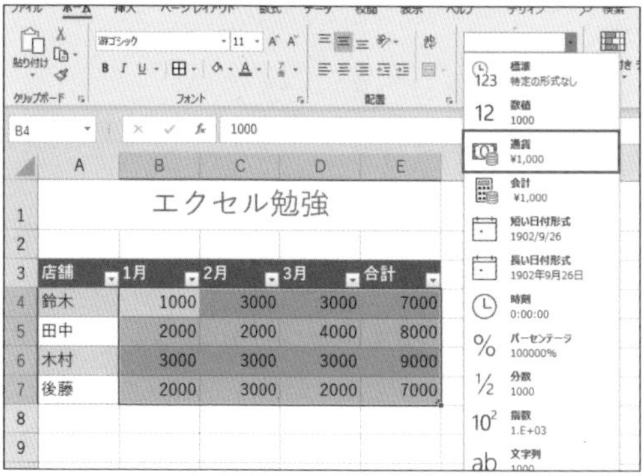

2

表示方法が変更できるので、「**通貨**」を選択しましょう。

3

選択したセルの数値に「¥」マークが表示されるようになりました。

表示形式を初期状態に戻す

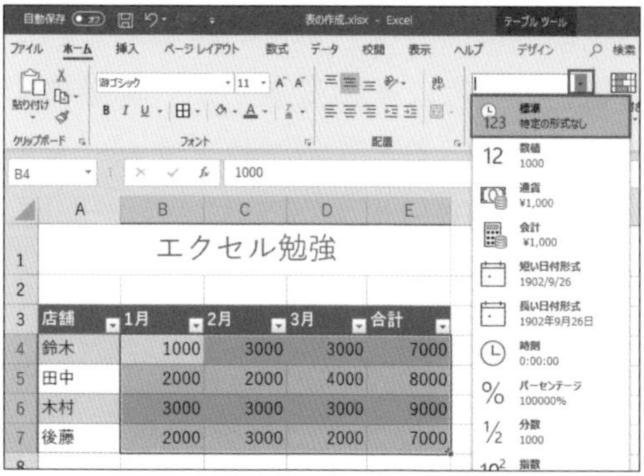

表示形式を元に戻したい場合は、「**標準**」を選択します。

関数を手入力しよう

▶ 関数名を入れて計算範囲を選択する

「Excel初級編」では「ホーム」タブの右上にある「Σ」マークのボタン（オートSUM）を使って合計を計算していきました。今回はオートSUMを使わずに自分で入力をしていきます。なぜそんなことをするのかというと、これからオートSUMのボタンに入っていない別の関数も使えるようにするためです。オートSUMのボタンに含まれていない関数は自分で入力して覚える必要があります。ですから、実際に入力するときはどうするかという手順をここで把握しましょう。

関数の入力は半角英数で行います。「=」や関数名を入力したときに、記号や文字の下に点線がついていたら全角になっています。その場合は、入力した記号などを消してから「**半角/全角**」キーを押し、半角英数になったのを確認してから、入力し直してください。点線がつかなければ半角なので大丈夫です。

このほか、関数名の一部が全角になっているというミスも起こしがちです。関数名の入力を始めると、その文字を使う関数の候補が出てきますが、全角が混ざっていると表示されません。入力中に関数の候補が表示されなかったら、「半角/全角」キーを押し、半角の状態にしてから、再度、入力しましょう。

SUM関数の式を入力する

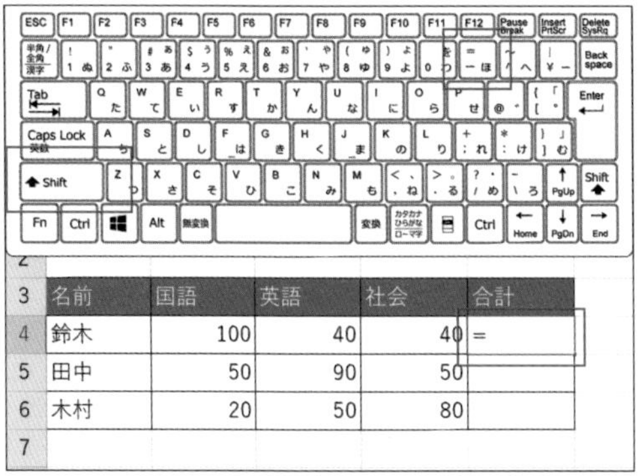

1

合計のセルをクリックして、「**Shift**」キーを押しながら「**=**」キーを押します。半角で入力してください。

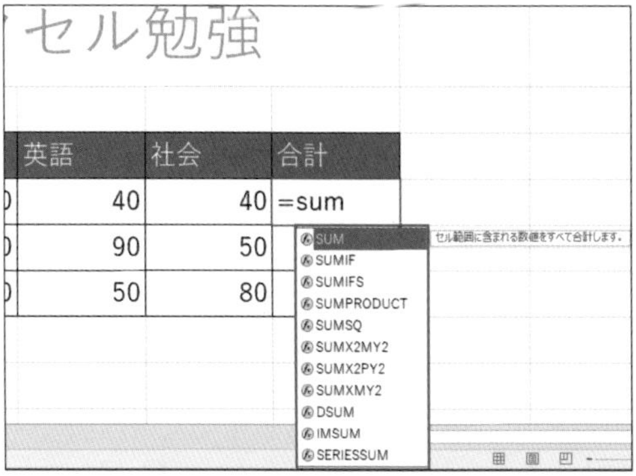

2

合計を出すのはSUM関数なので、「**sum**」と入力しましょう。右か下に関数の候補が出ます。候補が出なければ全角がまざっています。

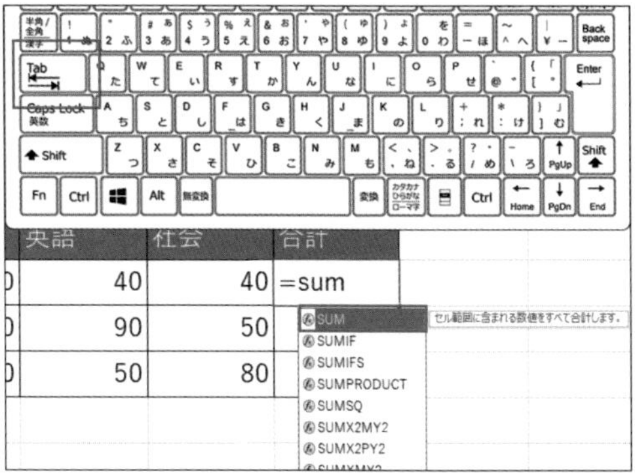

3

今回使うのは一番上のSUMです。SUMをクリックしたら「**Tab**」キーを押します。「**Enter**」キーだとエラーになるので注意してください。

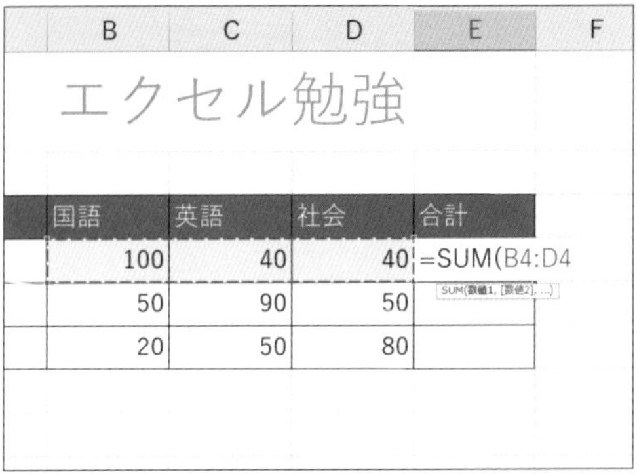

4

「**=SUM (**」になったら「国語」「英語」「社会」の点数セルをクリックしながら選択して、「**Enter**」キーを押します。

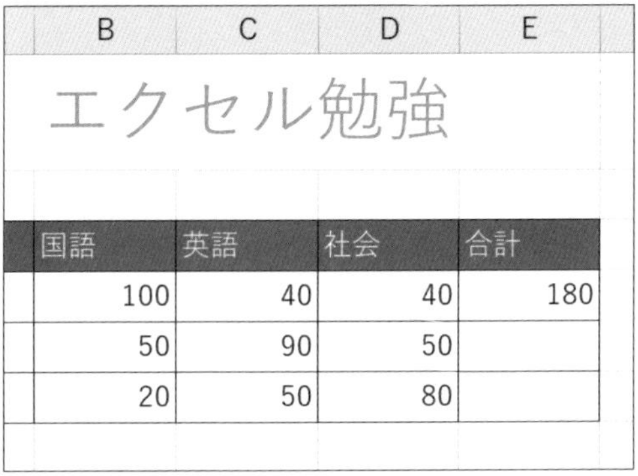

5

計算式が完成し、合計点数が計算されます。

オートフィルで式をコピーする

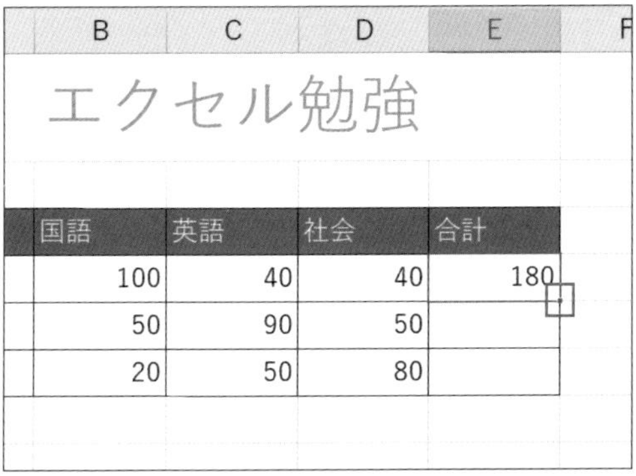

「**オートフィル**」を使うと下の2人の点数も計算されます。一番上を選択した状態で**右下の緑色**の四角を**ダブルクリック**しましょう。

テーブルで関数を使用する

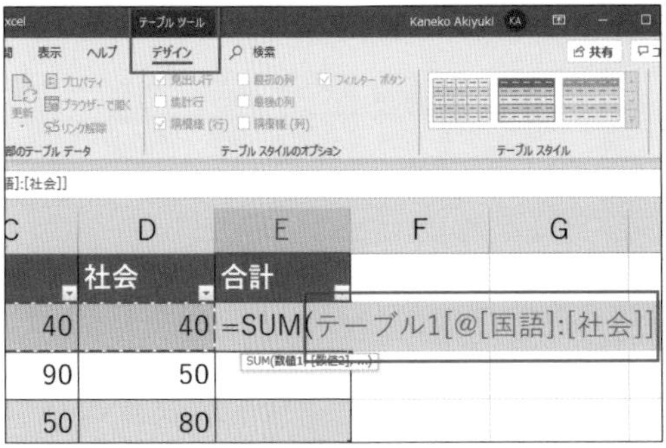

関数でテーブルを範囲に選択した場合は表記が異なります。数式の「テーブル1」はテーブルツール左側にある「**テーブル名**」で、計算中以外は修正可能です。

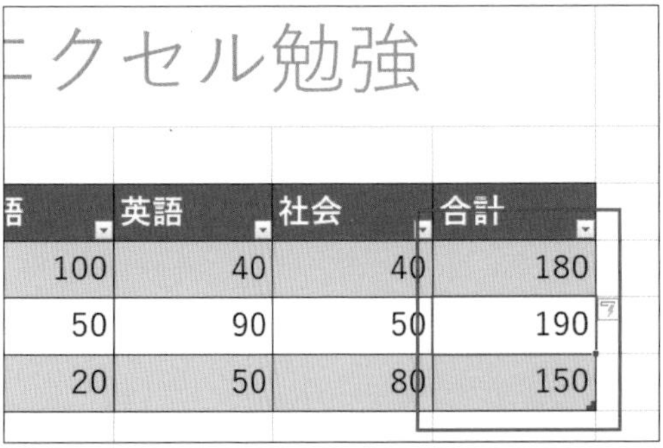

テーブルはひとつ関数を入れると、自動的にオートフィルされます。

テーブルでの関数の構造

=SUM(テーブル1[@ [国語]:[社会]])

テーブル名
選択しているテーブルの名前が表示される

関数と同じ行
関数が入力されたセルと同じ行であることを表す

範囲
項目名が国語から社会までの列を選択する

式の内容

テーブル名が「テーブル1」のテーブルから、関数と同じ行にある国語から社会までの合計を求める。

ワークシートを作成する

▶ シートを用途別に作成する

　ここまでは、同じシートで作業を進めてきました。しかし、Excelは**複数のワークシート**を作成することが可能です。ワークシートを用途別に分けることで、見やすくなりますし、管理もしやすくなります。

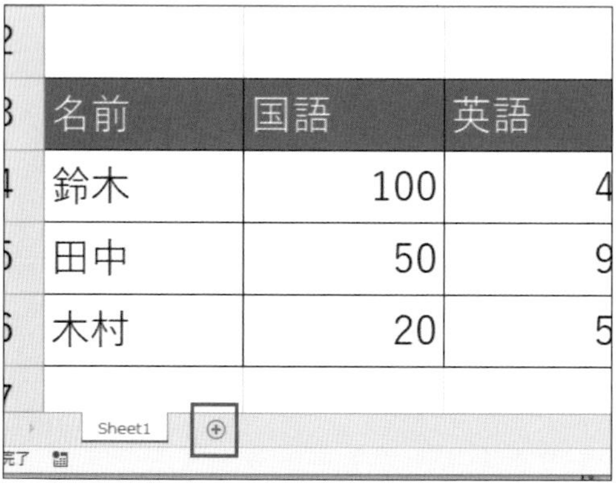

1

新しいワークシートを作成する場合は、ウィンドウ左下の「**Sheet1**」の右側にある「**+**」マークをクリックします。

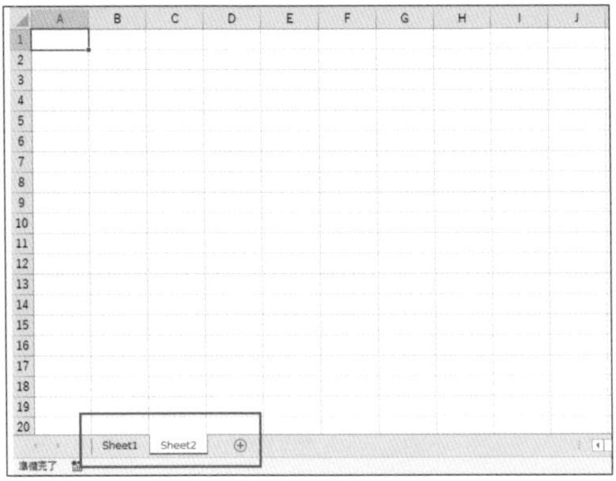

2

新しく「**Sheet2**」が作成されました。先ほどまで使用していたシートに移動するには、「Sheet1」をクリックします。

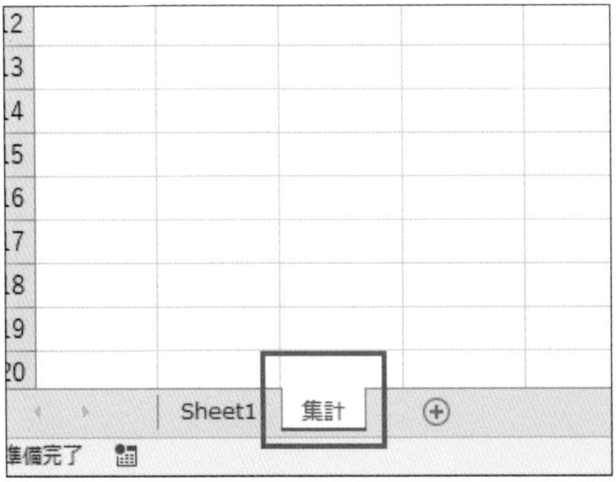

3

シート名は名前を変更できます。今回は「Sheet2」をダブルクリックして集計と入力します。

4

「Sheet1」のシート名も成績表に変更しましょう。

別のシートから関数を使って求める

▶ シートを切り替えて計算範囲を指定する

ここまでは同じシートで関数を使用して計算してきました。SUM関数の式も1枚のシートで完結していました。しかし、Excelは**別のシートの数字**を使って計算を行うこともできます。今回は前項で作成した集計表で、成績表の数字を使って計算しましょう。少し操作が違ってきますので、その計算方法を解説します。

別シートの数値から合計を求める

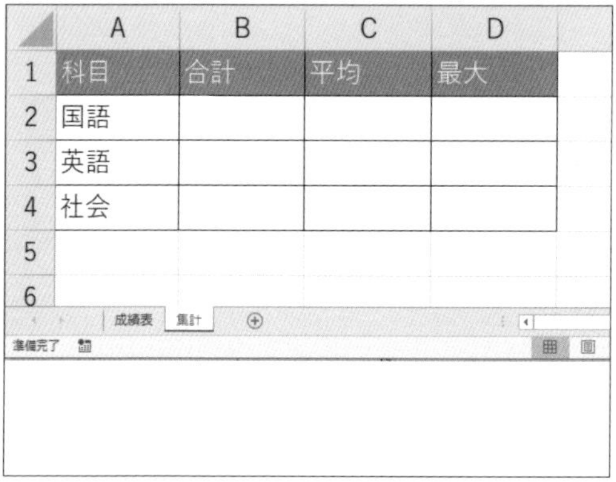

1

前項で作成した集計シートです。こちらのシートで関数を使って点数の集計をします。

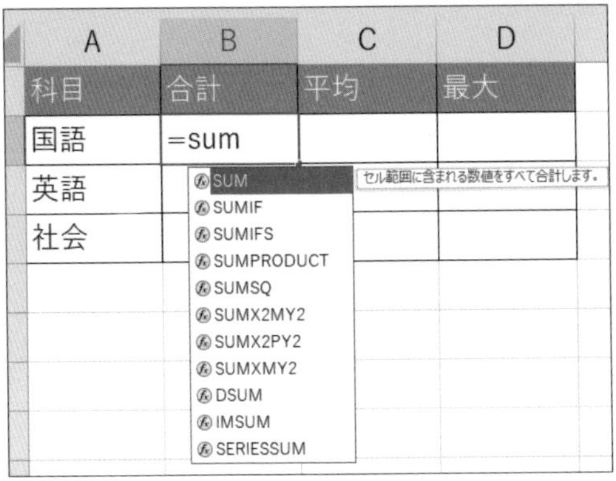

2

国語の合計を計算していきましょう。合計の欄をクリックして「**=sum**」と入力し、「**SUM**」を選んで「**Tab**」キーを押します。

3

「**=SUM(**」になりました。成績表のシートから選択するので、「成績表」のタブをクリックしましょう。数式はメニューバーの「**数式バー**」に表示されています。

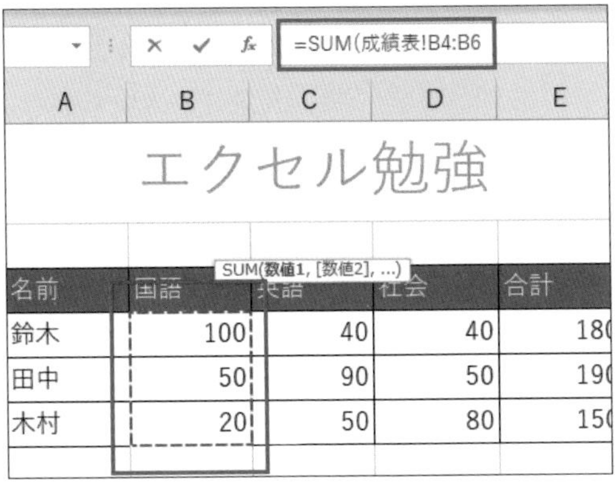

4

国語の点数を上から下まで（**B4からB6**）を選択し、この状態のまま「**Enter**」キーを押します。集計シートに戻らないよう注意してください。

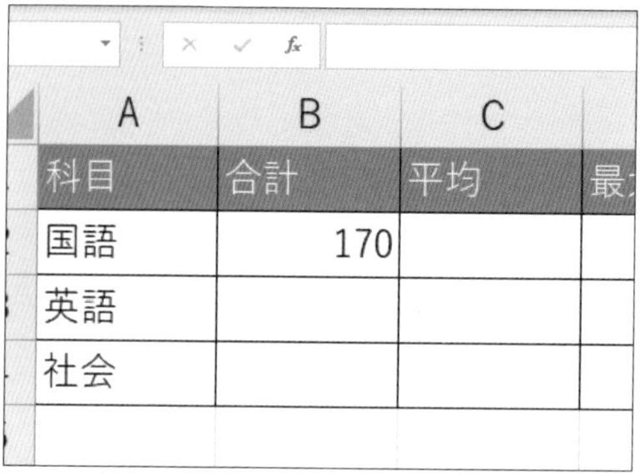

5

自動的に集計シートに戻り、**計算結果**が表示されます。

6

セルB2で「**F2**」キーを押して関数の中身を見てみましょう。「成績表!」が**シート名**、「**B4：B6**」がセルの範囲です。

別シートの数値から平均や最大を求める

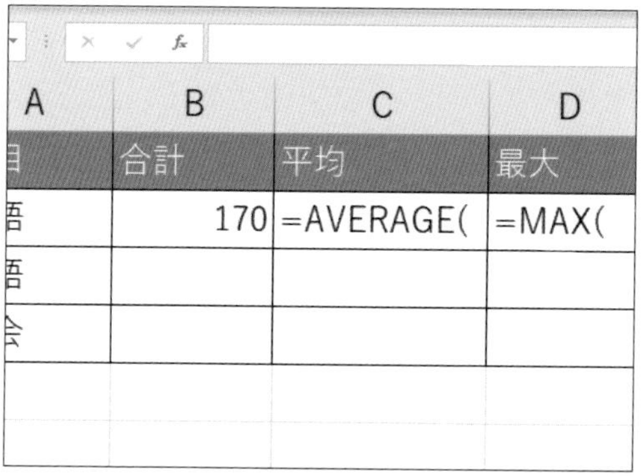

合計と同じように平均や最大も求めてみましょう。「**AVERAGE関数**」で平均、「**MAX関数**」で最大値が求められます。

シートによる関数の構造の違い

同シートの場合

＝SUM（B4：B6）

関数名　　範囲

別シートの場合

＝SUM（成績表！B4：B6）

関数名　シート名　　範囲

式の内容　成績表シート内のB4からB6までの合計を求める。

同シートの場合

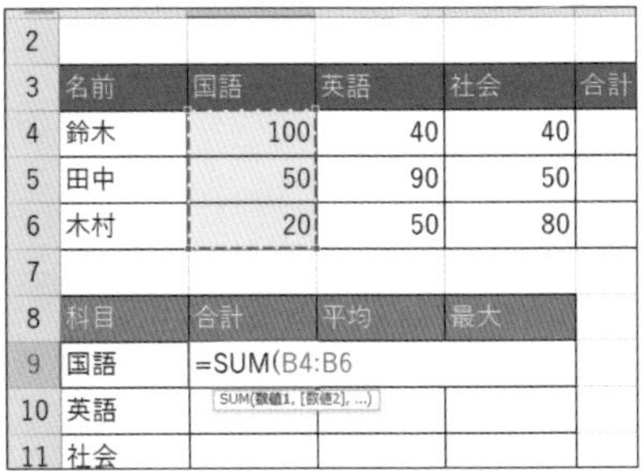

別シートの場合

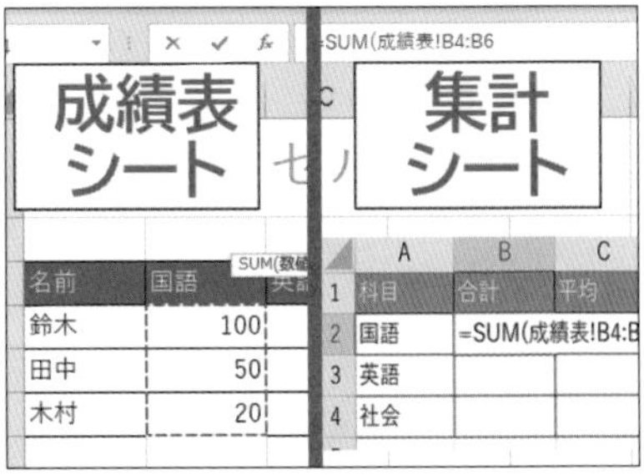

同じシートを選択した場合は数式と選択範囲が青く表示されますが、別シートの場合はセルの範囲が点線、数式が黒色で表示されます。

Point

- ☑ 関数の範囲には別シートの数字を選択することができる
- ☑ 別シートの場合、数式に「シート名！」が入る
- ☑ 範囲の選択後は関数を入力中のシートに戻ってはいけない
- ☑ 別シートの場合、選択範囲は点線で表示される

COUNTIF関数の使い方【指定の人数を計算する】

▶「鈴木」さんの人数を数えよう

次は「**COUNTIF関数**」の使い方を紹介します。COUNTIFは、選択したところに同じ文字がいくつ入っているかを調べられる関数です。「**COUNT**」は数えるという意味、「**IF**」は条件をつけるという意味です。両方をあわせると「**選択した範囲の中に、指定した条件に合致したデータがいくつあるか数える**」という意味になります。今回は、COUNTIF関数を使って名簿の中に「鈴木」さんが何人いるかを数えます。

この関数の式を作るときの最大の注意点は、条件の文字を半角の「"(ダブルクォーテーション)」で挟むことです。関数の式の途中でキーボードから入力する際には、必ず前後に半角の「"」を入れるというルールがあるのです。

また、COUNTIF関数は、これまでの関数と違って、入力するところがふたつあります。「**=COUNTIF**」とすると、下にヒントが表示されるので参考にしていきましょう。

COUNTIF関数式の構造

=COUNTIF(範囲, "検索条件")

範囲
数を調べたい範囲を指定する

検索条件
文字列など調べたい条件を指定する

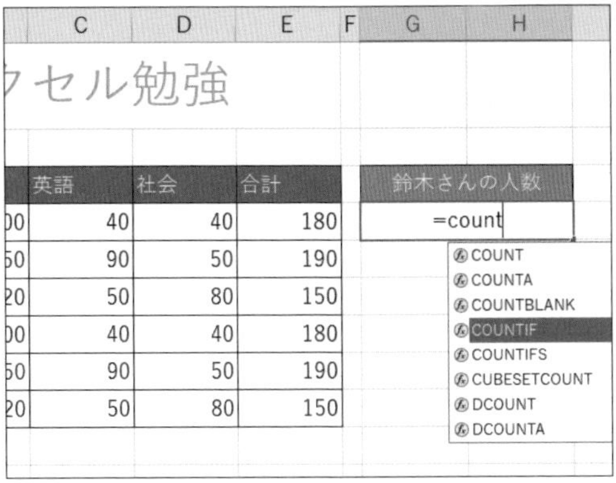

1

「名前」の欄にある鈴木さんの人数を調べます。「**COUNTIF**」をクリックして「**Tab**」キーを押します。関数の候補が表示されない場合は、全角の可能性があります。

2

「**=COUNTIF(**」になり、下にヒントが出ています。「**範囲**」の文字が濃くなっているのは、「**範囲を選択してください**」という意味です。

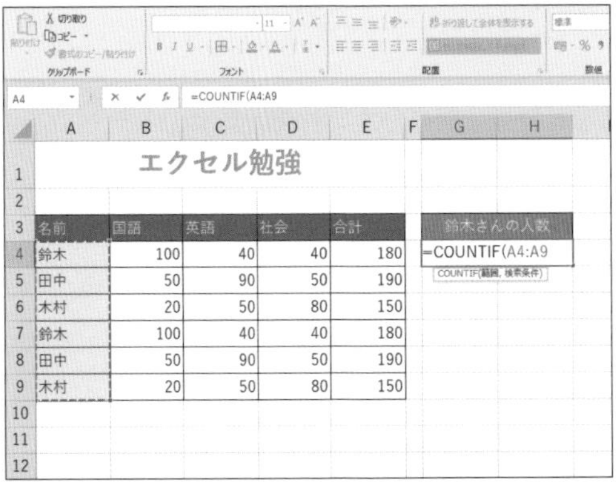

3

鈴木さんを数える範囲は、「名前」の行なので、全員の名前（**A4からA9**）を選択します。

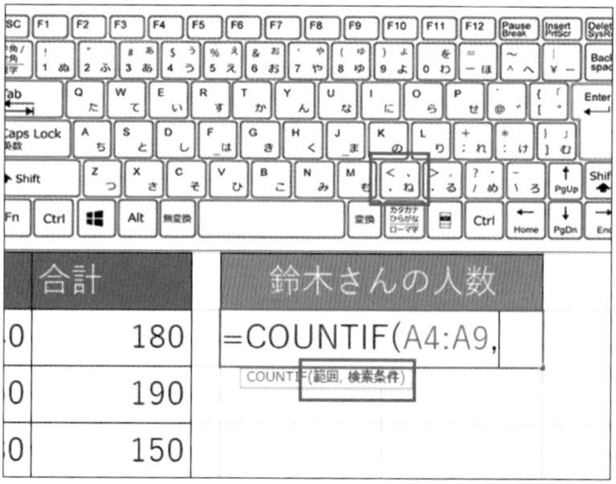

4

次に半角で「**,(カンマ)**」を入力します。「,」を入れるとヒントの「**検索条件**」の文字が濃くなります。「**条件を指定してください**」という意味です。

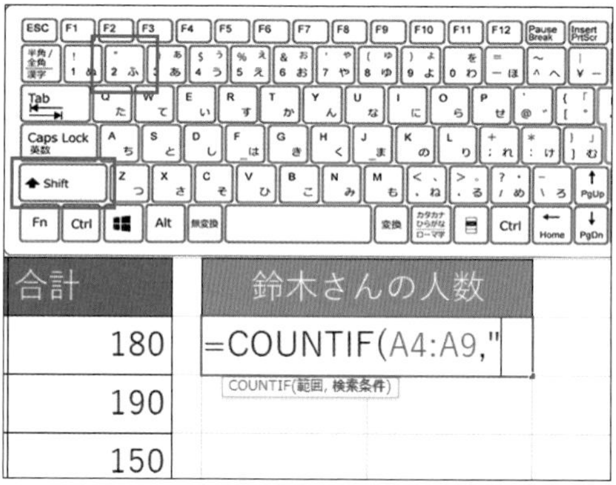

5

条件は「鈴木」です。キーボードから入力するので、「**Shift+2**」キーを押して「**"(ダブルクォーテーション)**」を入れます。

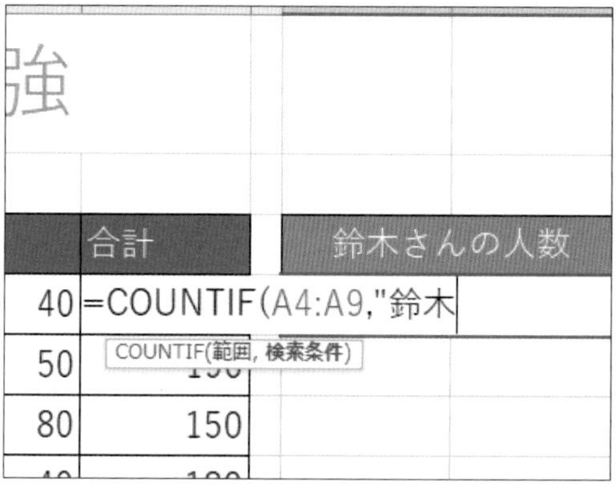

6

「**半角/全角**」キーを押して日本語入力にして、「鈴木」と入れましょう。「名前」の行にある文字と同じにしてください。

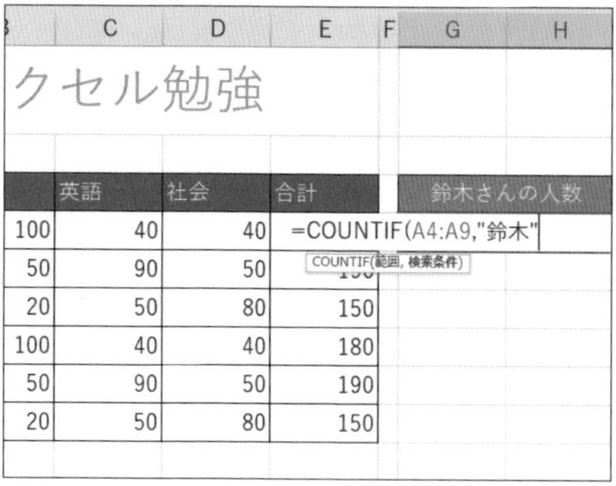

7

「**半角/全角**」キーを押してから、「**Shift+2**」で「**"**」を入れて文字を挟みます。最後に「**Enter**」キーを押しましょう。鈴木さんが2人いることがわかります。

COUNTIF関数式の構造

=COUNTIF(A4：A9, "鈴木")

範囲
検索条件に合致するものをA4からA9の中から探す

検索条件
範囲の中に「鈴木」の文字がいくつあるか求める

大量のデータを指定する

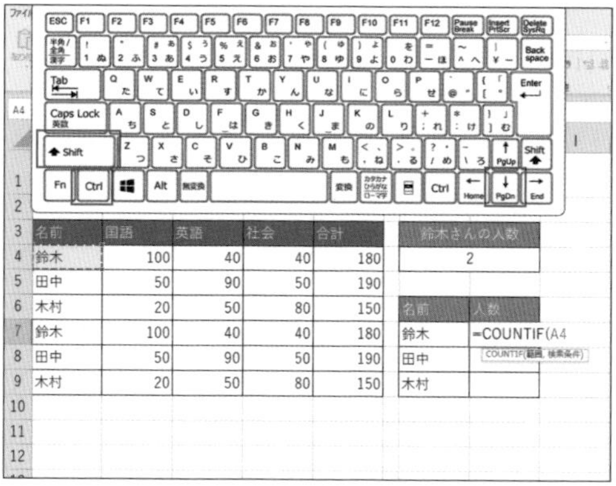

関数で大量のデータを選択したい場合は開始地点のセルをクリックし、「**Ctrl**」キーと「**Shift**」キーを押しながら「**↓**」キーを押すことで、一番下まで一気にセルが選択できます。

COUNTIF関数の使い方【セルを指定する】

▶ 検索条件に文字列以外を指定する

前項では検索条件に「鈴木」という**文字列**を指定していましたが、今度は**セル**を指定してみましょう。文字列を指定した際は「"（ダブルクォーテーション）」で文字列を挟む必要がありますが、セルを選択する場合は「"」が必要ありません。セルを検索条件に指定することで、指定したセルに「鈴木」以外が入力されても、自動的に関数が数え直してくれます。

セルを検索条件に指定する

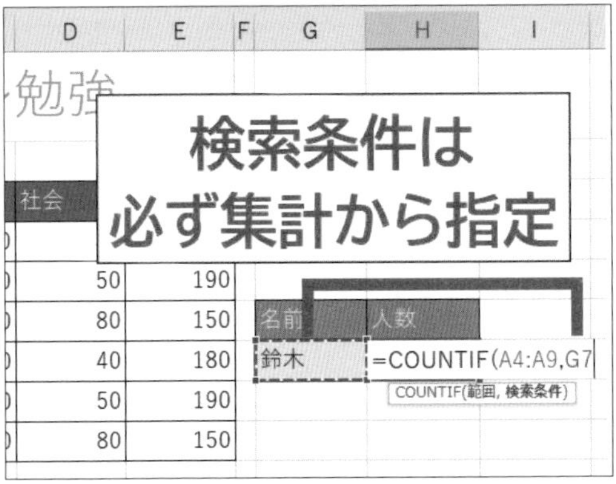

1

「**COUNTIF関数**」の式を作っていきます。「**検索条件**」として「鈴木」のセル（G7）をクリックします。A4の「鈴木」は表を変更する可能性があるので使いません。

B	C	D	E	F	G	H
エクセル勉強						
	英語	社会	合計		鈴木さんの人数	
100	40	40	180		2	
50	90	50	190			
20	50	80	150		名前	人数
100	40	40	180		鈴木	2
50	90	50	190			
20	50	80	150			

2

「**Enter**」キーを押すと、「鈴木」の人数が表示されます。

セルを検索条件にするメリット

B	C	D	E	F	G	H
エクセル勉強						
	英語	社会	合計		鈴木さんの人数	
100	40	40	180		2	
50	90	50	190			
20	50	80	150		名前	人数
100	40	40	180		木村	2
50	90	50	190			
20	50	80	150			

セルG7を「木村」に変えてみましょう。「木村」の人数が数えられているのがわかります。指定したセルの内容が変わると自動的に検索条件も変更されるのです。

数式の構造

=COUNTIF(A4：A9, G7)

範囲
検索条件に合致するものをA4からA9の中から探す

検索条件
範囲の中に、セルG7に入力された内容がいくつあるか求める

式の内容 **A4からA9までの中に、セルG7に入力された内容がいくつあるか求める。**

COUNTIF関数での絶対参照の使い方

▶「F4」キーで計算に使う範囲を固定する

前項では「**COUNTIF関数**」でセルを指定し、鈴木さんの人数を出しました。今度は、田中さんと木村さんを追加し、人数を調べていきましょう。前項の関数が入ったセルを指定し、「**オートフィル**」機能を使うことで一気に求めることができます。しかし、そのままでは範囲がずれてしまい、正しい数値は出ません。そこで使用するのが、指定するセルを固定する機能「**絶対参照**」です。範囲を固定して関数を使って計算していきましょう。

絶対参照にして範囲を固定する

	合計
40	180
50	190
80	150
40	180
50	190
80	150

鈴木さんの人数
2

名前	人数
鈴木	2
田中	2
木村	2

1

人数を調べる表に「田中」「木村」を追加します。次に「鈴木」のセル（G7）を数える「**COUNTIF関数**」の式を「田中」「木村」にも「**オートフィル**」でコピーしてみます。

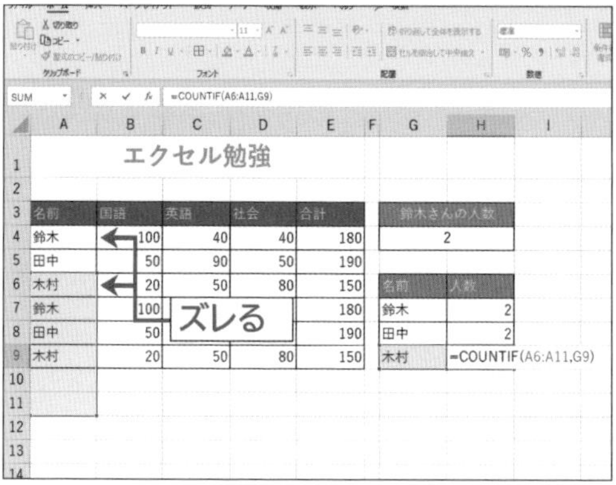

2

木村さんのセルをクリックし、「**F2**」キーを押して式を表示すると、青色の範囲がずれていることがわかります。「**Esc**」キーを押してキャンセルしましょう。

3

検索する範囲（**A4からA9**）が動かないようにします。式は一番上で修正するので、鈴木さんのセルを選んで「**F2**」キーを押します。

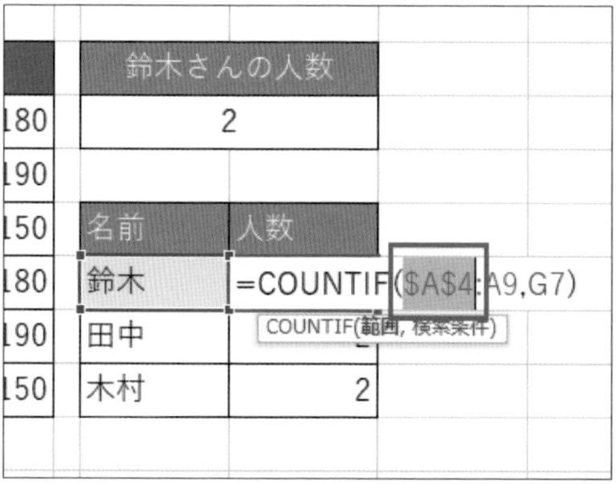

4

絶対参照を入れていきます。青いところは動いてほしくないので、「**A4**」のAと4の間にカーソルを置き「**F4**」キーを押します。

5

「A4」に「**$（ドル）**」マークがつきました。「**A9**」でも「**F4**」キーを押して「**$A$4:$A$9**」にします。最後に「**Enter**」キーを押しましょう。

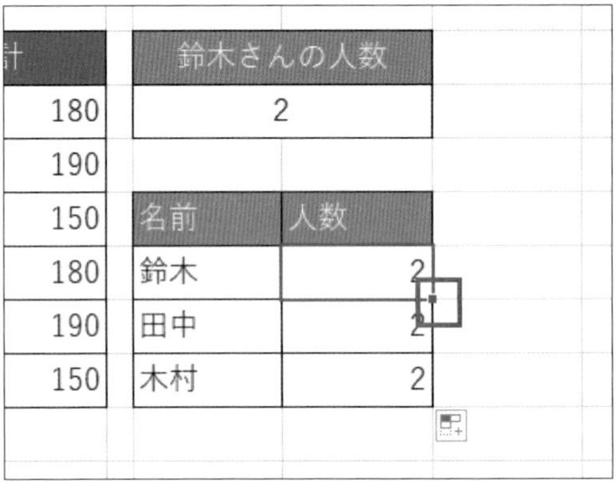

6

鈴木さんの人数がわかりました。「**オートフィル**」で式をコピーすると、ほかの名前の人の人数も出ます。

7

木村さんのセルを選択して「**F2**」キーを押すと、範囲が動いていないことがわかります。「**Esc**」キーを押してキャンセルします。

式を作りながら範囲を固定するには

式を作る時点で範囲を固定するとわかっていたら、範囲を選択した直後に「**F4**」キーを押してください。図のように一気に「**$**」マークがつきます。

数式の構造

=COUNTIF($A$4:$A$9, G7)

範囲【絶対参照】
常に範囲をA4からA9に固定し、その中から検索条件に合致するものを探す

検索条件
範囲の中に、セルG7に入力された内容がいくつあるか求める

式の内容 A4からA9まで常に固定して範囲とし、セルG7に入力された内容がいくつあるか求める。

Point

- ☑ 固定したい部分で「F4」キーを押すと「絶対参照」にできる(「FN」キーを押さないと「F4」キーが効かない場合もある)
- ☑ 「$」マークは動かないことを意味し、「オートフィル」でも範囲が固定される
- ☑ 数式の修正は必ず一番上のセルで行う

別シートでCOUNTIF関数を絶対参照する方法

▶ 別シートを開いて範囲を指定する

今度は、鈴木さん、田中さん、木村さんの名前がある表と人数を集計する表が別のシートだった場合、どのようにして「COUNTIF関数」の式を計算するのかを説明します。別シートのデータを使うときは、シートを切り替えるタイミングを注意することが必要です。範囲を選択して、「, (カンマ)」を入力したあとにシートを切り替えましょう。

	A	B	C	D
1	科目	合計	平均	最大
2	国語	340	56.66667	100
3	英語	360	60	90
4	社会	340	56.66667	80
5				
6	名前	人数		
7	鈴木	=COUNTIF(		
8	田中			
9	木村			
10				

1

鈴木さんのセルをクリックして「**=countif**」と入力し、「**COUNTIF**」を選択して「**Tab**」キーを押します。

2

成績表シートを開き、全員の名前（**A4からA9**）を選択しましょう。ここで、集計シートに戻らないように注意してください。

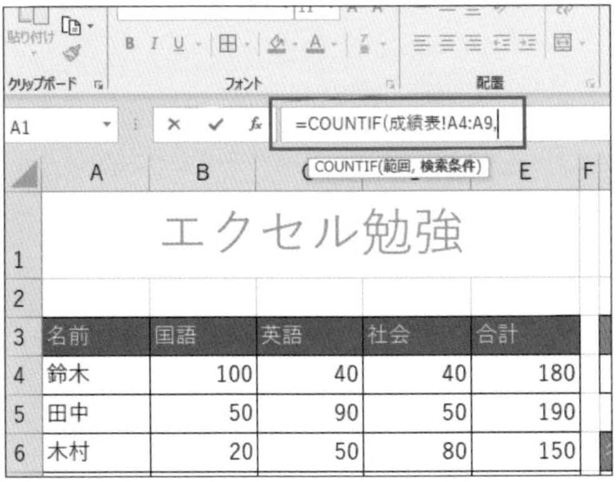

3

「**数式バー**」の式の最後をクリックして、「**,**」を入力します。入力内容が「**検索条件**」に変わります。

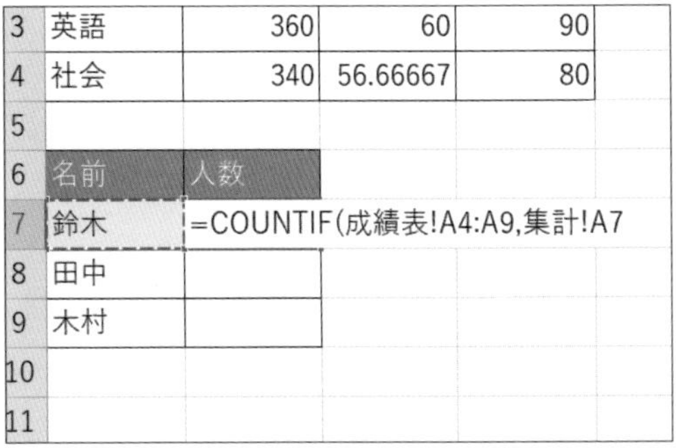

4

集計シートに戻って、「鈴木」のセル（A7）を選びます。「**範囲**」は成績表シートのA4からA9、「**検索条件**」は、集計シートのA7になります。

5

「**Enter**」キーを押すと鈴木さんの人数が表示されます。

6

「**オートフィル**」で式をコピーしてから、田中さんの式を確認すると、「**範囲**」が成績表シートのA5からA10に変わっています。「**Esc**」キーを押します。

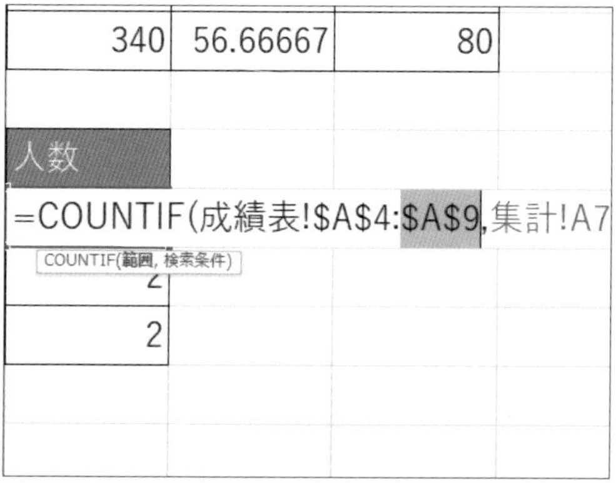

7

鈴木さんのセルを選んで「**F2**」キーを押し、「A4」の文字をクリックして「**F4**」キーを押します。「A9」も同じようにします。

8

範囲が「**絶対参照**」となり、「オートフィル」を行っても動かなくなりました。検索条件はひとつずつ動きます。「**Enter**」キーを押すと、人数が表示されます。

式を作りながら別のシートの範囲を固定する

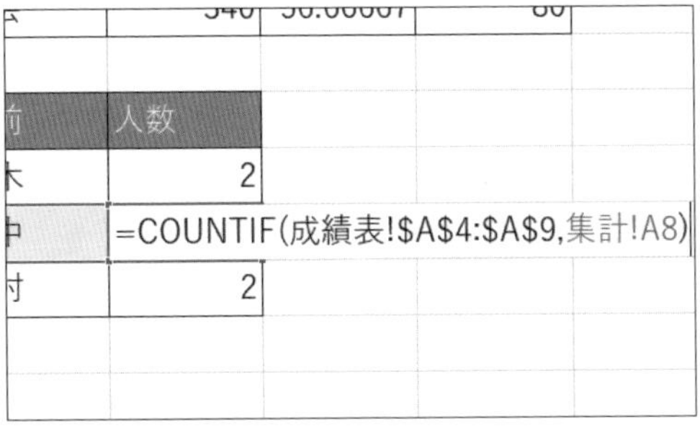

式を作りながら「範囲」を固定することもできます。「**範囲**」を選択した直後に「**F4**」キーを押してください。次に「**,**」の入力、「**検索条件**」の指定をします。

数式の構造

=COUNTIF(成績表! $A$4 : $A$9, 集計!A7)

範囲【絶対参照】

常に範囲をA4からA9に固定し、その中から検索条件に合致するものを探す

検索条件

範囲の中に、セルA7に入力された内容がいくつあるか求める

式の内容 **成績表シートのA4からA9まで常に固定して範囲とし、集計シートのセルA7に入力された内容がいくつあるか数える。**

SUMIF関数の使い方

▶ 条件に一致した数値を合計する

名字が「鈴木」という人の国語の点数を合計すると何点になるかという計算をしてみましょう。合計はこれまで「**SUM関数**」で出していました。しかし、「SUM」では全員の国語の点数を合計することになり、鈴木さんだけの合計はわかりません。鈴木さんの国語の合計点のように、「**合計（SUM）**」に「**条件（IF）**」をつけるときは「**SUMIF関数**」を使います。

鈴木さんの国語の合計点を求める

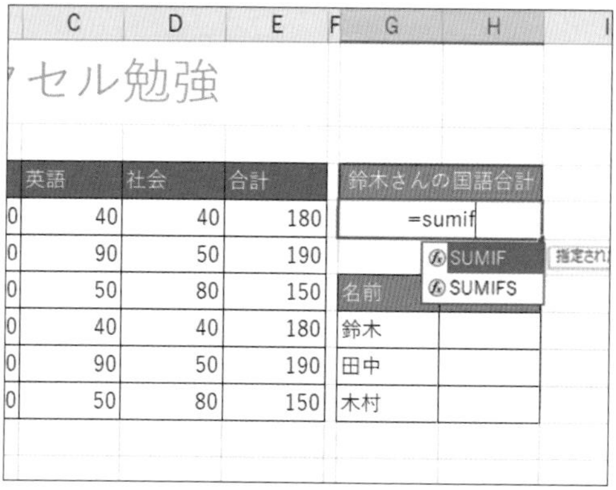

1

鈴木さんの国語の合計点を表示するセルに「**=sumif**」と入力し、「**SUMIF**」を選んで「**Tab**」キーを押します。

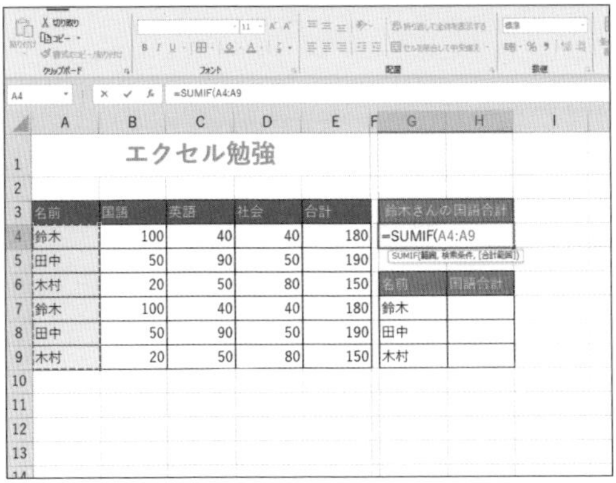

2

「**=SUMIF(**」になりますので、まず、鈴木さんを抜き出します。「**範囲**」として、名前のセルの上から下まで（A4からA9）を選択しましょう。

3

選び終えたら、「**,**」を入力しましょう。ヒントの「**検索条件**」が濃い色になり、「検索条件」を指定する状態になりました。

4

「**検索条件**」は鈴木さんを抜き出すことなので、文字列「鈴木」を「**"**」で挟み、「"鈴木"」と入力後、「**,**」を入力します。

5

「**合計範囲**」の指定に移ります。国語の合計を知りたいので、「国語」の全部のセル（B4からB9）を選択します。そうしたら、「**Enter**」キーを押しましょう。

6

「鈴木」と入力されているセル（G7）を検索条件にすることもできます。「**オートフィル**」をすると範囲がずれるので、「**絶対参照**」で固定しましょう。

SUMIF関数式の構造

=SUMIF（A4：A9, "鈴木", B4：B9）

範囲
A4からA9の中から検索値と同じ数値を探す

検索条件
「鈴木」と入力されたセルがある行を参照する

合計範囲
検索条件に合った行から国語の列にある数値を合計する

絶対参照を使って
コピーできる式を作る

「**F4**」キーを押すと、「**合計範囲**」も「**絶対参照**」の式ができます。これなら「**オートフィル**」してもふたつの範囲は変わらず、「**検索条件**」だけが動きます。

【絶対参照】SUMIF数式の構造

=SUMIF($A$4:$A$9,G7,$B$4:$B$9)

範囲　検索条件　合計範囲

式の内容　範囲と合計範囲は常に固定されており、A4からA9までの範囲から、G7の条件を探し、一致した場合は同じ行の合計範囲であるB4からB9の数値を合計する。

=SUMIF(成績表!$A$4:$A$9,集計!G7,成績表!$B$4:$B$9)

範囲　検索条件　合計範囲

式の内容　範囲と合計範囲は常に固定されており、成績表シートのA4からA9までの範囲から、集計シートのG7の条件を探し、一致した場合は成績表シート内の同じ行の合計範囲であるB4からB9の数値を合計する。

VLOOKUP関数の使い方

▶ 番号を入れると単価や商品名が自動表示される表を作る

番号、商品名、単価が入った一覧をもとに、入れた番号から商品名や単価を表示する表を作ります。表の入れ替えも簡単ですし、入力ミスも減ります。ここで使うのが「**VLOOKUP関数**」です。また、この関数なら個人番号を入れるだけで、対応する名前や住所、電話番号などを一覧から参照してくれるような表も作れます。「VLOOKUP」はとても便利でよく使われる関数のひとつです。

	A	B	C	D	E
1	番号	商品	単価	数量	合計
2	3	マウス	3000		
3	1	ボール	1000		
4	2	パソコン	2000		
5	1	ボール	1000		
6					
7	番号	商品	単価		
8	1	ボール	1000		
9	2	パソコン	2000		
10	3	マウス	3000		

1

左の表では、赤色の番号がわかれば、青色の商品と単価がわかります。「**VLOOKUP関数**」は、番号を入力すれば自動的にデータが入力されてほしい表などに使用しましょう。

2

商品のところを取り出していきます。商品の欄に「**=vl**」と入力していき、「**VLOOKUP**」を選択して「**Tab**」キーを押します。

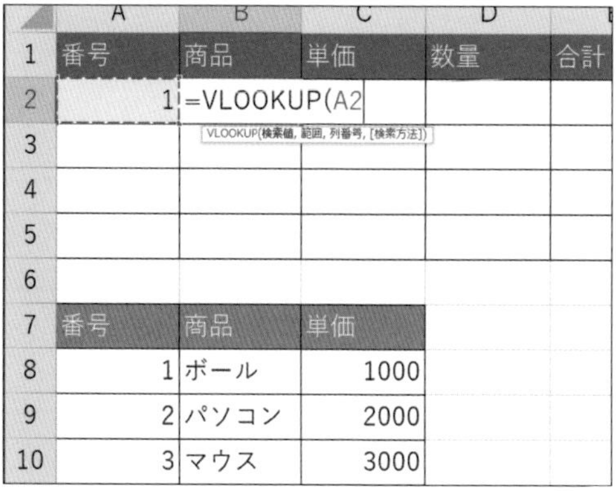

3

「検索値」「範囲」「列番号」「検索方法」が必要なことがわかります。「**検索値**」には検索用の番号を入れるセル（A2）を選び、次に「**,**」を入力します。

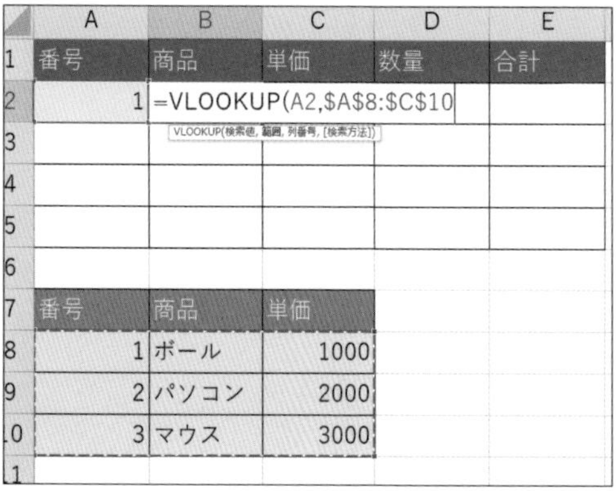

4

続いて「**範囲**」です。どこから検索値を見つけるかを指定するので、一覧表（A8からC10）を選び、「**F4**」キーで絶対参照にしてから、「**,**」を入力します。

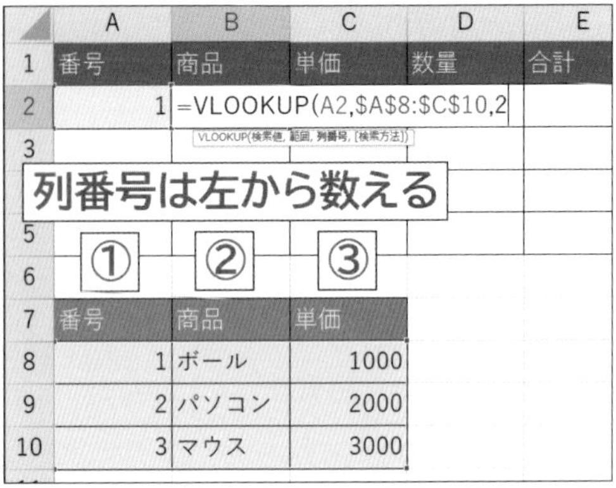

5

次の「**列番号**」は、「**範囲**」の中の**何番目の列**を参照するか決めます。商品は、一覧表の左から数えて２番目なので「2」にします。

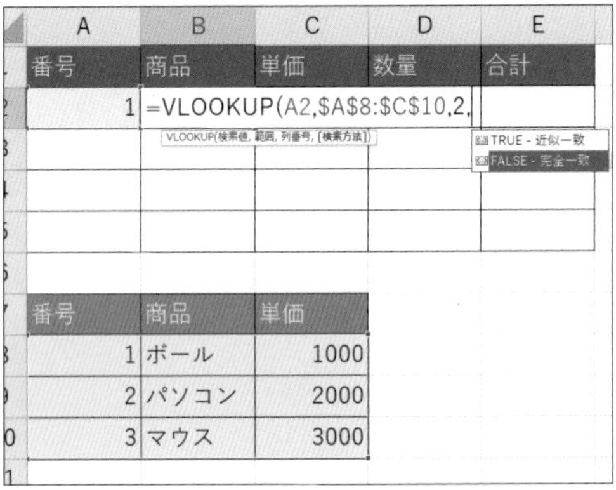

6

次に「,」を入力すると、「**検索方法**」になります。ここでは完全一致の「**FALSE**」を選んで「**Tab**」キーを押します。

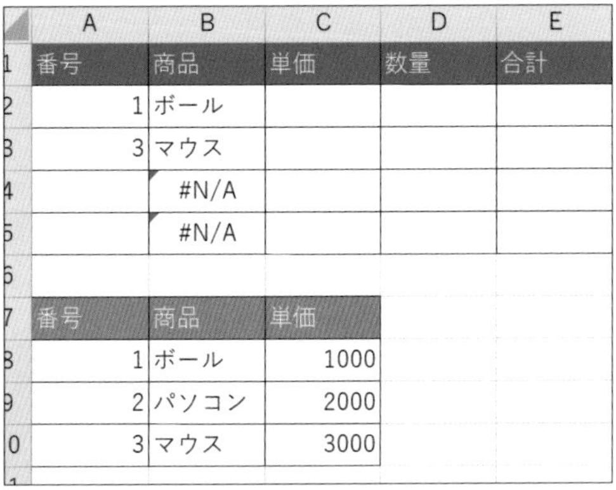

7

下に「**オートフィル**」します。「**#N/Aエラー**」とエラーメッセージが表示されますが、番号を入力すると、商品が表示されます。

VLOOKUP関数式の構造

=VLOOKUP(A2, $A$8 : $C$10, 2, FALSE)

- **検索値**（A2）：A2に入力された数値を検索する
- **範囲**（$A$8 : $C$10）：A8からC10の中で検索値と同じ数値を探す
- **列番号**（2）：数値が一致した行の2番目の列を参照する
- **検索方法**（FALSE）：検索値と完全一致した場合のみ、計算を進める

式の内容 A8からC10の範囲でセルA2に一致するセルを探す。一致した場合、範囲にある一致したセルの行の左から2番目の列番号にある値を表示する。

VLOOKUP関数でテーブルを使う

「VLOOKUP関数」を使用する際、検索に使う表をテーブルにしておくと、データを追加しても「範囲」に自動的に反映されるので、式を変更する手間が省けます。また、テーブルにすれば、「絶対参照」にする必要もなくなります。

	A	B	C	D	E
1	番号	商品	単価	数量	合計
2	1	ボール			
3	3	マウス			
4	4	ペン			
5		#N/A			
6					
7	番号	商品	単価		
8	1	ボール	1000		
9	2	パソコン	2000		
10	3	マウス	3000		
11	4	ペン	4000		
12					

IF関数の使い方

▶ 条件に一致したら「○」や「×」を表示する

「IF関数」は、条件に一致したら何かの処理をする、条件に一致しないときも何かの処理をするというように、条件を自分で作って処理を決める関数です。ここでは「IF関数」を使って、「5,000円以上なら○、そうでなければ×と表示する」という式を作っていきます。

IF関数式の構造

=IF(論理式,"真の場合","偽の場合")

論理式
条件となる式

真の場合
条件に当てはまった場合の処理

偽の場合
条件に当てはまらない場合の処理

式の内容 もし、論理式に当てはまったら、真の場合の処理を行い、論理式に当てはまらなければ、偽の場合の処理を行う。

IF関数で条件づけする

1

「=if」と入力し、「IF」を選択して「Tab」キーを押し、「=IF (」にします。続いて「論理式」「真の場合」「偽の場合」を設定していきます。

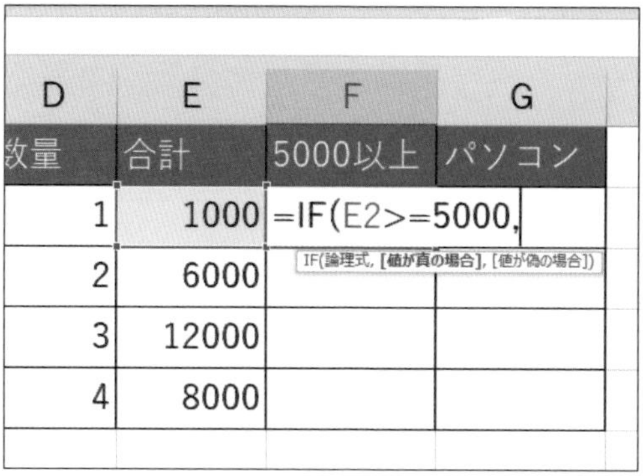

2

E2の値が5000以上という「**論理式**」を作ります。**「>」と「=」の組み合わせが「以上」を表す**ので「E2>=5000」です。次に「**,**」を入れます。

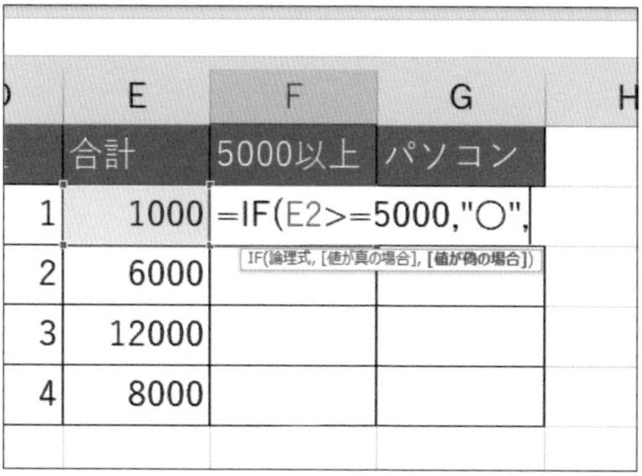

3

E2の値が5000以上の場合は「○」と表示したいので、「**真の場合**」の式には「○」を「**"**」で挟んで入力し、続いて「**,**」も入れます。

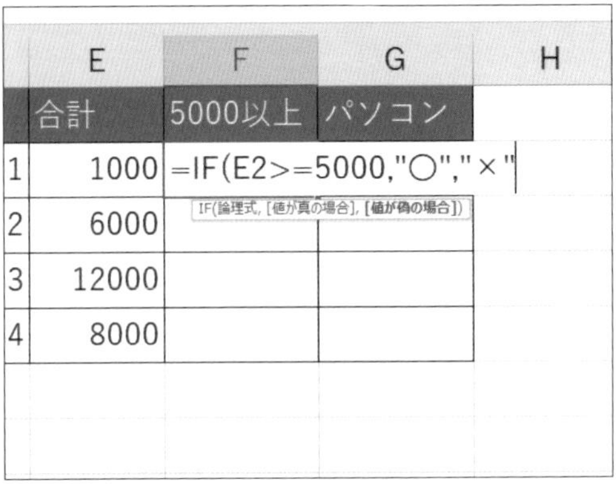

4

「**偽の場合**」の式には、E2の値が5000より小さい場合に表示する「×」を「"」で挟んで入力し、「**Enter**」キーを押します。

5

E2の値から「×」と表示されました。「**オートフィル**」すると、ほかのセルも結果が表示されます。

数式の構造

=IF(E2>=5000,"○","×")

論理式
E2の値が5000以上か判断する

真の場合
5000以上の場合「○」と表示する

偽の場合
5000未満の場合「×」と表示する

式の内容 **もし、セルE2が5000以上なら「○」を表示し、違う場合は「×」を表示する。**

比較演算子の種類

IF関数の論理式で使用した不等号は、比較演算子といいます。主に使われるのは6種類です。

A < B	AよりBが大きい
A > B	AよりBが小さい
A > =B	AがB以上
A < =B	AがB以下
A=B	AとBが等しい
A <> B	AとBは等しくない

偽の場合は空白にする

偽の場合に何も表示したくないときは、数式の「偽の場合」に「""」と入力します。また、「=」は文字列と一致する条件を指定する際にも使えますが、文字列を入力する場合には「"パソコン"」のように必ず「"」で挟むようにしましょう。

ピボットテーブルの使い方

▶ 自在に集計できる表を作る

商品、単価、数量のような項目が並んだ表を集計したいときに、それを簡単に行ってくれるのが「**ピボットテーブル**」です。「ピボットテーブル」を使うと数式を作らなくても、項目を配置するだけで即座に計算ができます。

ピボットテーブルを作る

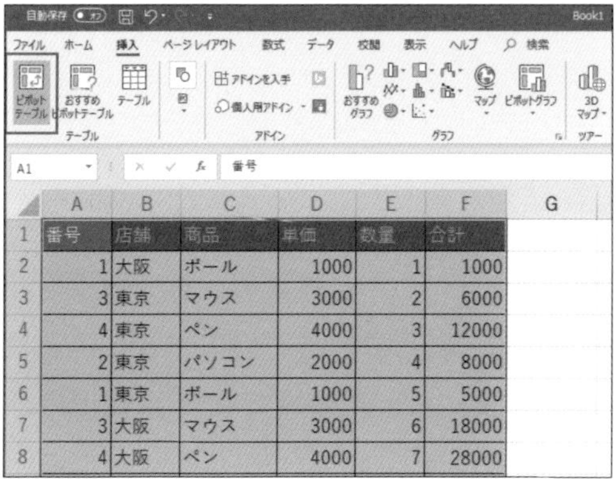

1

集計したい表全体（A1からF9）を選択していきます。選択できたら「**挿入**」タブを押して、「**ピボットテーブル**」をクリックします。

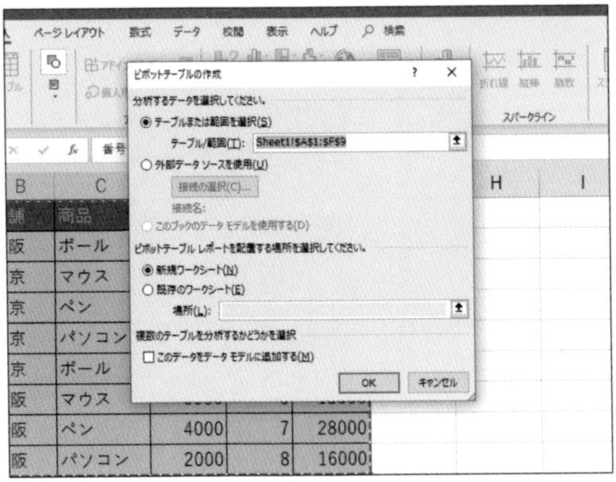

2

「**テーブル範囲**」が先ほど選択した表と同じになっていることを確認して、そのまま「**OK**」を押しましょう。

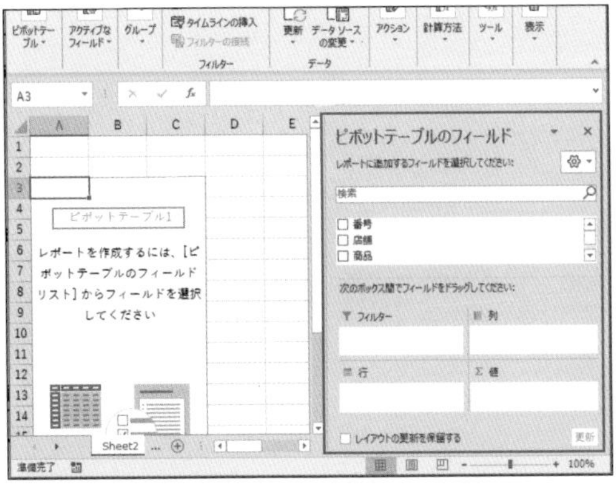

3

新しいシート（図では「Sheet2」）に「ピボットテーブル」ができます。右には「**ピボットテーブルのフィールド**」があります。

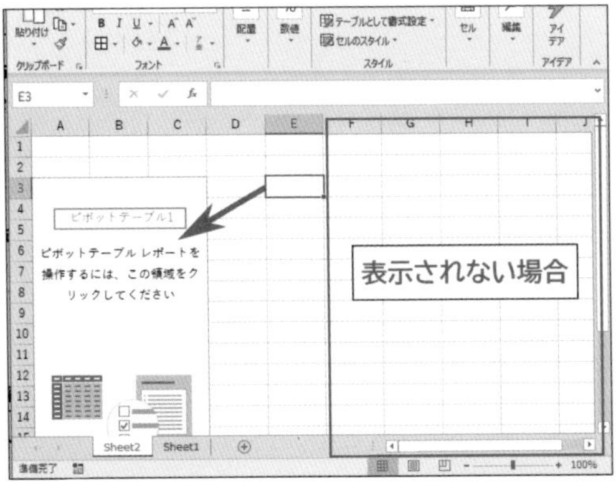

4

ピボットテーブルのシートで、右に「ピボットテーブルのフィールド」がなければ、左の「ピボットテーブル」の中をクリックしてください。

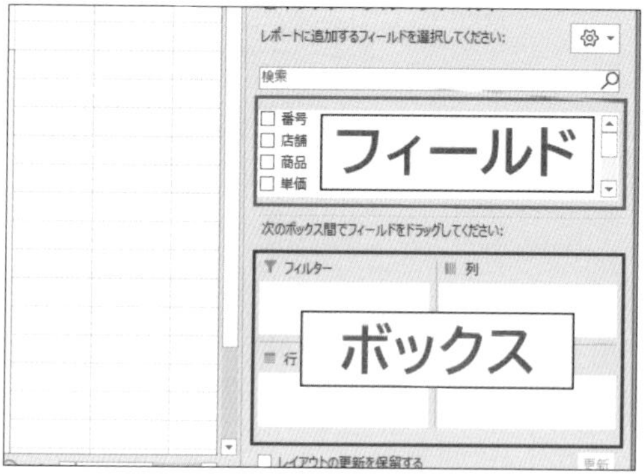

5

「ピボットテーブルのフィールド」には、「**番号**」などの「**フィールド**」と「**行**」などの「**ボックス**」があります。「**値**」には必ず数値のフィールドを入れます。

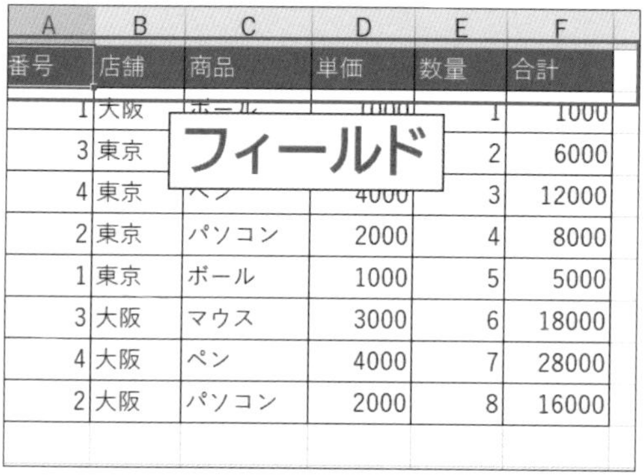

6

集計元の表です。表の見出しの「番号」「商品」などがピボットテーブルの「**フィールド**」になります。「**数値**」は「単価」「数量」「合計」です。

ピボットテーブルの行と列を確認する

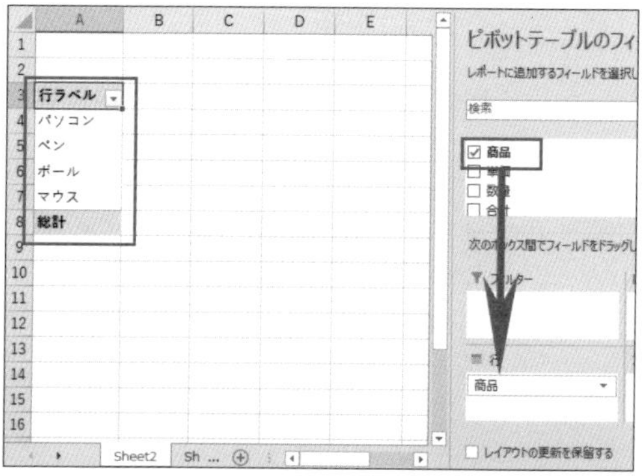

1

「**ピボットテーブルのフィールド**」で、「商品」のフィールドをクリックして「**行**」のボックスに入れると、商品が縦に並びます。

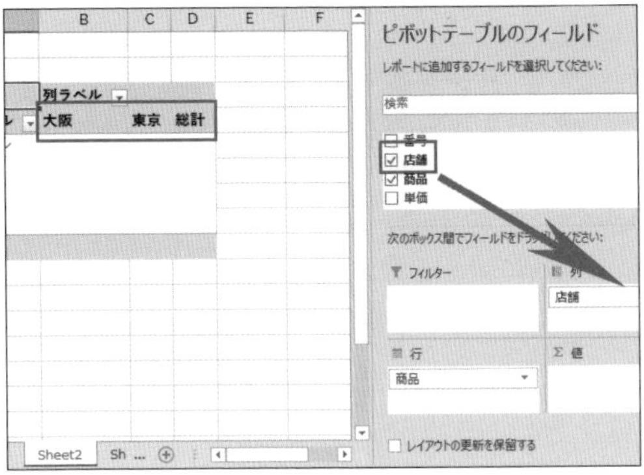

2

「店舗」のフィールドを「**列**」のボックスに入れると、店舗が横に並びます。

ピボットテーブルで集計する

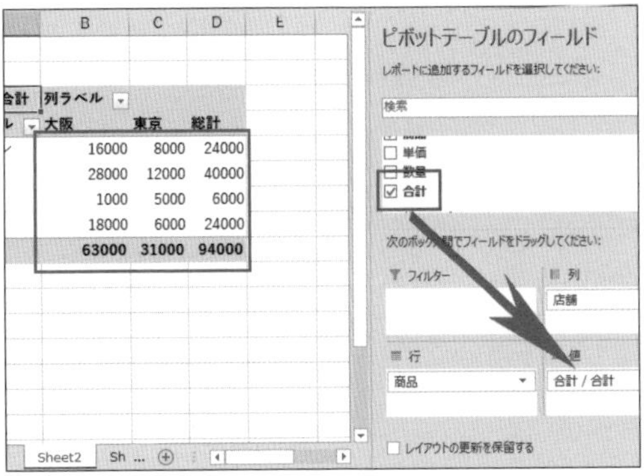

1

続いて、「合計」のフィールドをクリックしながら「**値**」のボックスに入れると、商品ごとの合計と合計の総計が出ます。

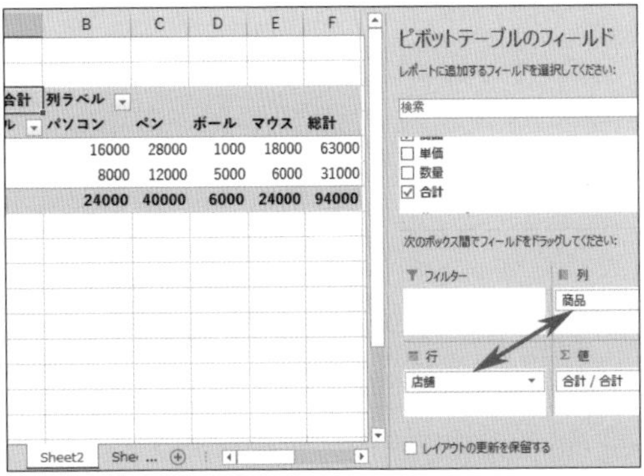

2

列と行のボックスをドラッグして入れ替えるとピボットテーブルの表示が逆になります。

ストレージ(ROM)とは?

パソコンやスマートフォンの性能を表すものとして、「CPU」「メモリ」と一緒に表記されているのがストレージです。ストレージもパソコンやスマートフォンに必ず入っている部品で、「ROM(ロム)」と表記されることも多いです。ストレージとは「データを保存しておく場所」のことで、パソコンでWordやExcelのファイル・画像などを保存する場合は、ここに保存されます。「メモリ (RAM)」と「ストレージ (ROM)」は英語表記が似ており、単位も同じ「GB」で表記されるので混同されやすいです。

判断基準としては、パソコンの場合「メモリ」は16GB等と表記されますが、「ストレージ」は「256GB」や「512GB」とメモリより大きい容量で表記されることが挙げられます。また、ストレージは2種類使用されることが多く、「HDD(ハードディスクドライブ)」と「SSD(ソリッドステートドライブ、通称:エスエスディ)」があります。「SSD」は「HDDより圧倒的に読み書き速度が速い」ことが特徴です。そのため、起動や処理動作も速くなるので、最近のパソコンやスマートフォンには、主に「SSD」が使用されています。

一方、「HDD」の特徴は「SSD よりも大容量で価格が安い」ことです。そのため、処理速度に関係のない保存に向いています。大容量のものが多い「HDD」では、「GB」の単位の上の「TB(テラバイト)」が使用されることも多いです。その場合、「1000GB」で「1TB」と表記されます。一般的なパソコンでは「256GB」、スマートフォンでは「64GB」あればストレージに困ることは少ないでしょう。これからパソコンを購入する際には、用途に合わせてストレージの容量を考えるとよいでしょう。

※厳密には ROM とは「Read Only Memory(リード オンリー メモリ)」の略で、書き込みができないメモリのことを指します。ですが、日本国内では「ストレージ=ROM」と表記されることが多いです。

3章　Word 初級編

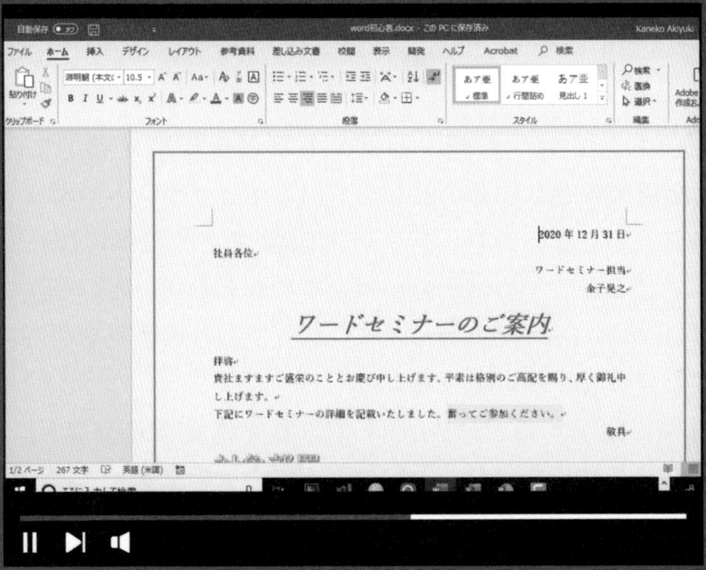
word初心者.docx - この PC に保存済み
Kaneko Akiyuki
2020年12月31日
社員各位
ワードセミナー担当
金子晃之
ワードセミナーのご案内
拝啓
貴社ますますご盛栄のこととお慶び申し上げます。平素は格別のご高配を賜り、厚く御礼申し上げます。
下記にワードセミナーの詳細を記載いたしました。奮ってご参加ください。
敬具

Excelと並んでビジネスで多用されるWordですが、文字を入力する以外の機能を利用されていない方も多いかもしれません。本章で紹介するWordの基礎を覚えて、文書作りに役立てましょう。

動画でまとめて学ぶ

https://pasonyu.com/book698

Wordとは？ Excelとの違い

▶Wordの特徴を知り文書作成をマスターしよう

ビジネス文書や資料、レポートなどを作成するのに、今やWordは欠かせないものとなっています。イラストや写真を挿入することもできるので、チラシや年賀状なども簡単に作れます。

よく、ExcelとWordの違いがよくわからない、という話を聞きます。ExcelもWordと同じマイクロソフト社の製品なので、混同してしまう人が多いようです。

簡単に説明すると、Wordは「**文書を作成するソフト**」です。何か文書を作りたいな、というときに、その文書を１枚の用紙にきれいに収めることができるのがWordの最大の特徴です。

一方で、Excelは「**表の作成や計算を簡単に行えるソフト**」です。Excelは表計算に特化しており、文書を作成する専用のソフトではありません。そのため、ブラウザ上では1枚の用紙に収まっているように見えていても、印刷したときにずれてしまい、用紙にきれいに印刷できないことがあります。

厳密にはWordでも簡単な計算式はできるのですが、基本的には「**Word=文書作成**」「**Excel=表計算**」という分け方で考えてください。WordとExcel、それぞれの特徴を理解して適切に使いこなせるようになれば、どんな文書でも資料でも簡単に作れるようになります。

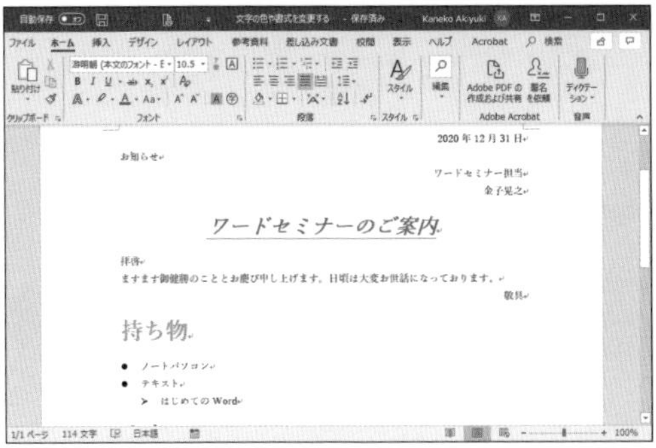

1

Wordで作成した文書の例。きれいに1枚の用紙に文書が収まっています。

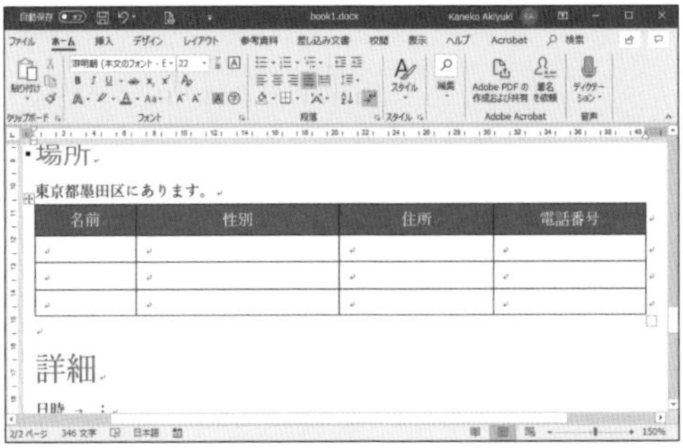

2

計算を伴わない表であれば、Wordでも作成が可能です。

Point

- ☑ Word は文章を作成するソフト
- ☑ Word はきれいに 1 枚の用紙に収めたいときに使う
- ☑ Excel は計算が必要なときに使うソフト
- ☑ Excel は印刷がずれることもある

Word文書を作成する基本の考え方

▶ 機能に頼れば失敗を防げる

Wordは文書作成のためのソフトであることを学びました。Wordの特徴を理解したところで、実際にWordを開いてみましょう。文書を作成する前に、Wordでの**文書の作り方の基本**を覚えておきましょう。

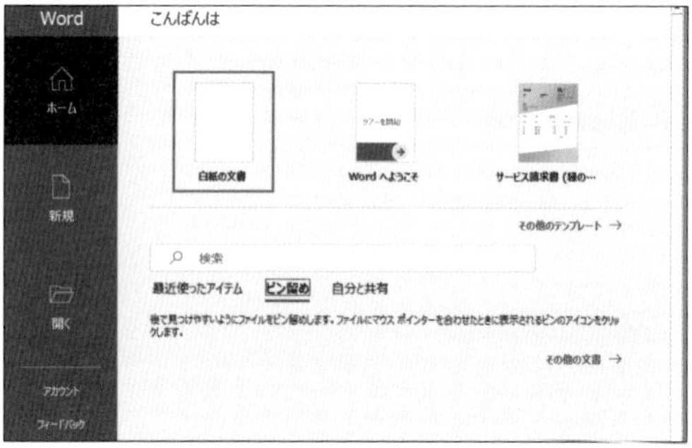

1

Wordを開いたら、まず「**白紙の文書**」をクリックします。

2

Wordの最初の画面です。この「**白紙の文書**」に文字を入力していき、色をつけるなど文字を修飾して、文書を作っていきます。

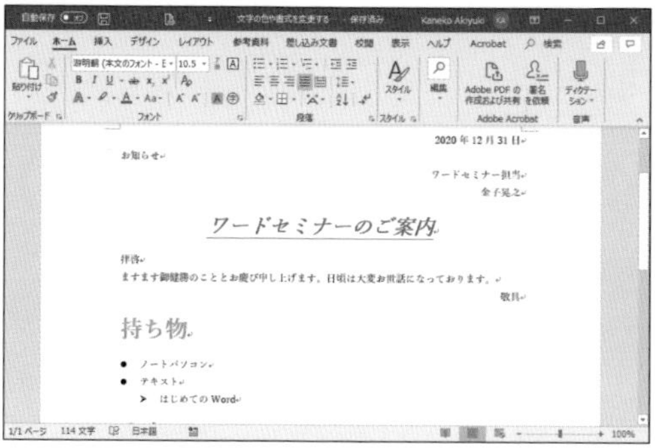
2020年12月31日
お知らせ
ワードセミナー担当
金子晃之
ワードセミナーのご案内
拝啓
ますます御健勝のこととお慶び申し上げます。日頃は大変お世話になっております。
敬具
持ち物
ノートパソコン
テキスト
はじめてのWord

3

完成文書の例です。色がついていたり、文字の位置が変更されていたりします。

機能を使って文書を作る重要性

Wordで文書を作るときは、上の完成文書例のように文字の位置を変更することがかなり多いです。基本的にWordは機能を使えばきれいな文書が作れるようになっています。ですから、無理やり「**Space**」キーで文字の位置を揃えたり、機能を使わずに頑張って段落を合わせたりしようとすると、ぐちゃぐちゃな文書になってしまいます。そんな失敗を避けるためにも、「**Wordには便利な機能がある**」ということをしっかりと理解して、文書を作っていきましょう。

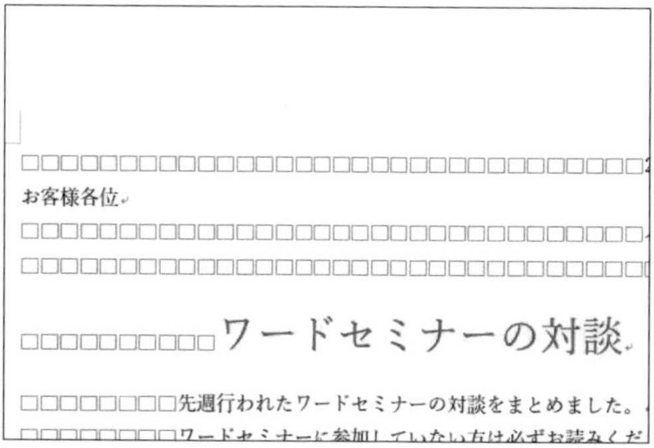
お客様各位
ワードセミナーの対談
先週行われたワードセミナーの対談をまとめました。

一見、きれいに見える文書でも、全角スペースで無理やり揃えてしまうと、修正が難しいですし、ずれも起きやすいです。

文字の揃え（両端揃え、中央揃え、右揃え、左揃え）

▶ 文字列の配置を変える

Wordでは、文書をきれいに作成するために、文字列の配置や位置を変えることができます。この機能を使えば、段落を好きな位置に揃えて配置することが可能です。4つの揃え方「**両端揃え**」「**中央揃え**」「**右揃え**」「**左揃え**」を覚えておきましょう。

両端揃え

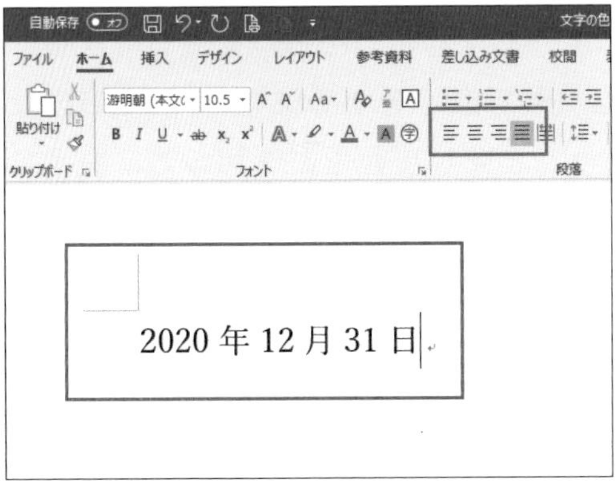

最初に文字を入力する際、文字列は左側に揃っています。この状態を「**両端揃え**」といいます。設定するには「**ホーム**」タブの段落にある一番右のボタンをクリックします。一番左と混同しやすいので注意しましょう。

中央揃え

「**中央揃え**」は文字列が中央に配置されます。ボタンは左から2番目です。

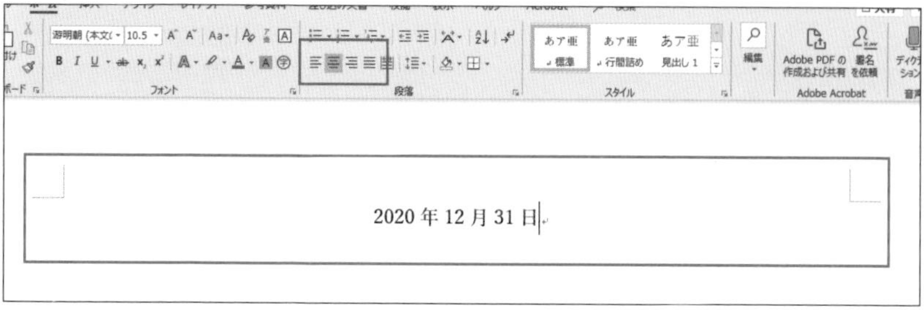

右揃え

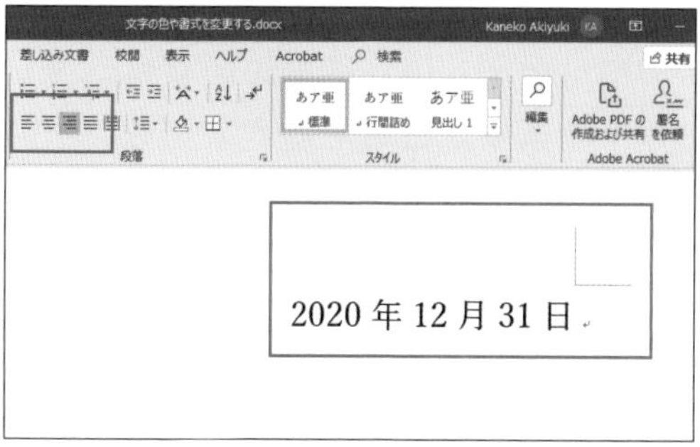

左から3番目のボタンをクリックすると、文字列が右側に配置されます。この状態を「**右揃え**」といいます。

左揃え

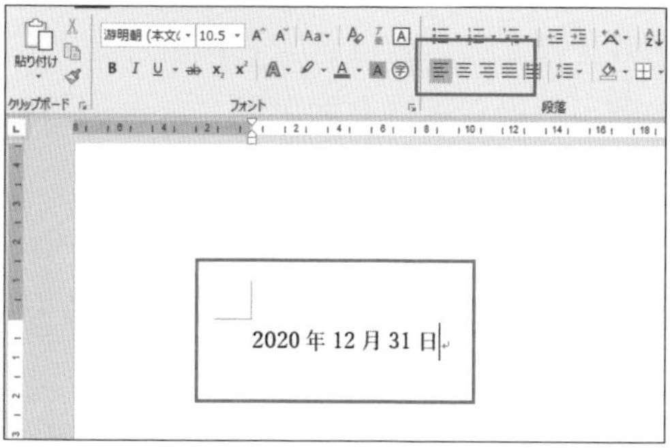

「**左揃え**」は「両端揃え」と同様に文字列が左側に配置されます。その違いについては194ページで解説します。ボタンは一番左です。

文字の書式を変更する

▶ 文字を修飾してメリハリのある文書を作る

Wordは文書作成のためのソフトです。ただ文字を入力するだけでなく、見た目にもきれいな文書を作るために欠かせない、さまざまな便利な機能を搭載しています。

文字を目立たせたいだけなら「**文字を大きくする**」という方法がありますが、それだけではなく、文字そのものを修飾するという方法があります。これらの機能を使えば、より見やすく、メリハリのある文書を作ることができます。ここで覚えてもらいたい機能は主に**3つ**です。

◉文字を太字にする
◉文字を斜体にする
◉文字に下線をつける

文書は見た目によって説得力が増すこともあるので、レイアウトやデザインなど文書の体裁を整えることはとても重要です。この3つの機能を使えば、強調したい文字や文章を目立たせることができ、必要な情報を見てわかりやすく、きちんと伝えることができます。いずれも「**ホーム**」タブの「**フォント**」グループ内にある機能です。どのボタンがどの機能なのかをしっかり覚えて、文書作成の際に役立ててください。

文字を太字にする

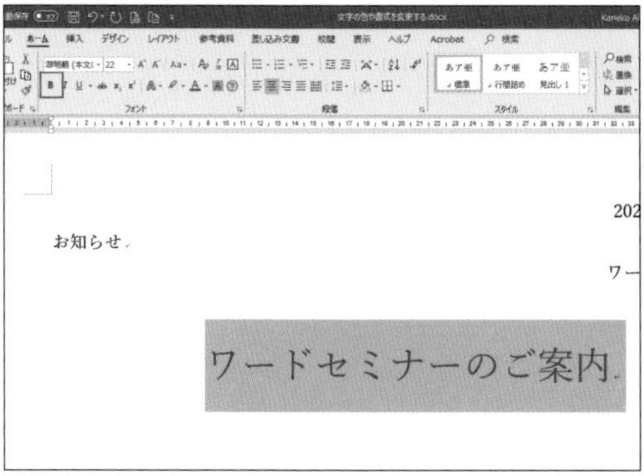

1

「**ホーム**」タブの「**フォント**」内の左にある「**B**」というマーク（太字ボタン）を使って文字を太字にします。

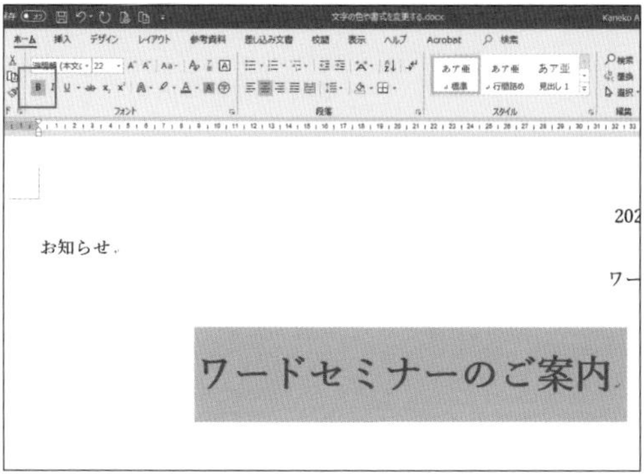

2

「**B**」マークをクリックすると**太字**になりました。

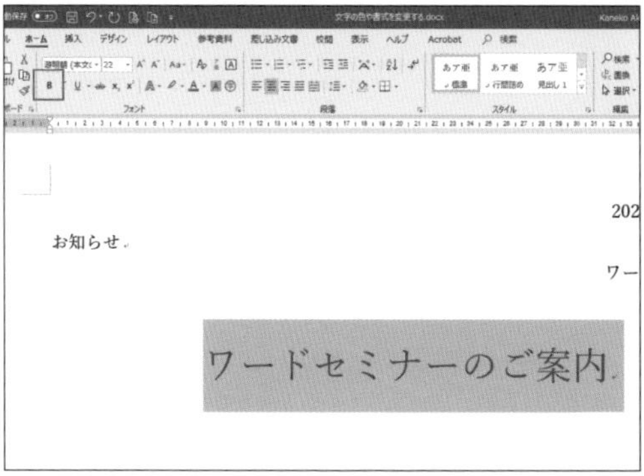

3

もう1回「**B**」のところをクリックすると、太字が解除になって**元の太さ**に戻すことができます。

文字を斜体にする

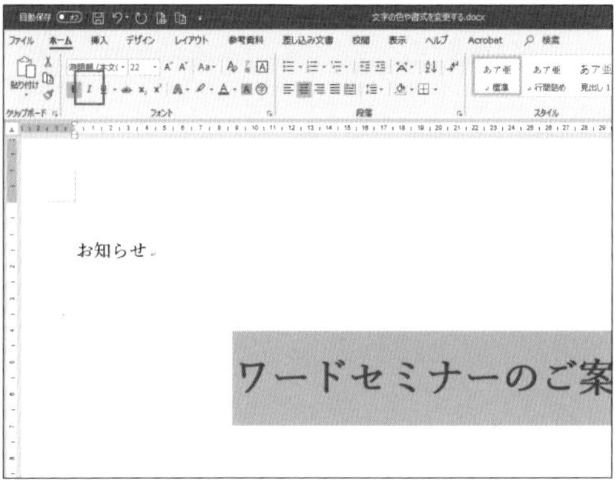

1

文字を斜体にしたいときは、「B」マークの右にある「I」というマーク（斜体ボタン）を使います。

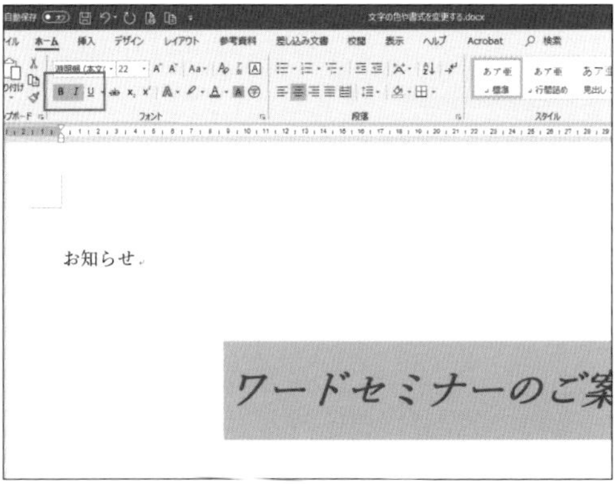

2

「I」マークをクリックすると文字が**傾き**ました。

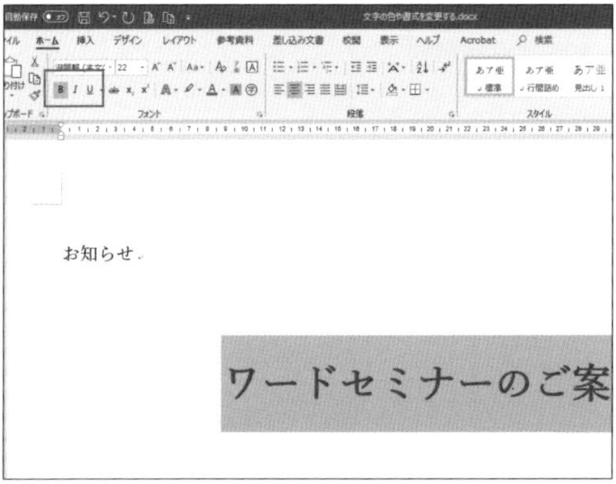

3

もう一度クリックすると太字にしたときと同様に斜体が**解除**されます。太字や斜体が有効になっているときは、ボタンが**灰色**になっているので、迷ったときはボタンの色で判断してください。

文字に下線をつける

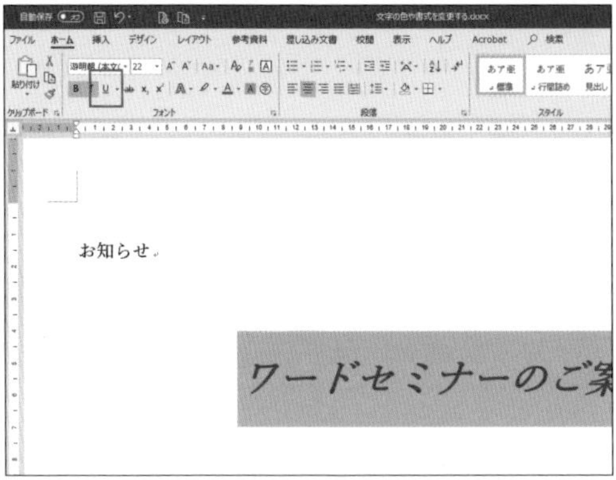

1

文字の下に下線をつけたいときは、「I」マークの右側にある「**U**」というマーク（下線ボタン）を使います。

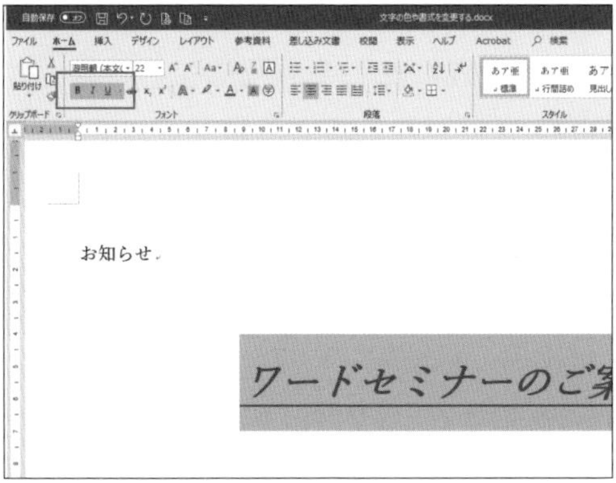

2

「**U**」マークをクリックすると、文字に**下線**がつきました。

書式の変更の確認を行う

画面や文字自体が小さい場合、ちゃんと書式が変更されたのか、わかりづらいことがあります。そんなときは何度かマークをクリックし、**書式の設定と解除を繰り返し**て確認してみてください。

文字の書式を初期状態にする

▶ 書式をクリアすれば、一発で最初の状態から入力できる

Wordで文書を作るとき、文字を太字にしたり、下線を引いたりすることで目立たせる方法を前の項目で学びました。次は下に続く文章を作っていきますが、そのまま改行して文章を入力していくだけでは、実はうまくいきません。ここで問題になるのは「**書式の設定**」です。上の行から引き継がれた書式設定をクリアして、新しく文章を入力していく方法を覚えましょう。

行の書式は引き継がれる

行の最後で「**Enter**」キーを押すと、次の行も必ず1行前と同じフォントや大きさ、色、太字や斜体、下線などの文字の書式設定がそ**のまま引き継がれた状態**になります。

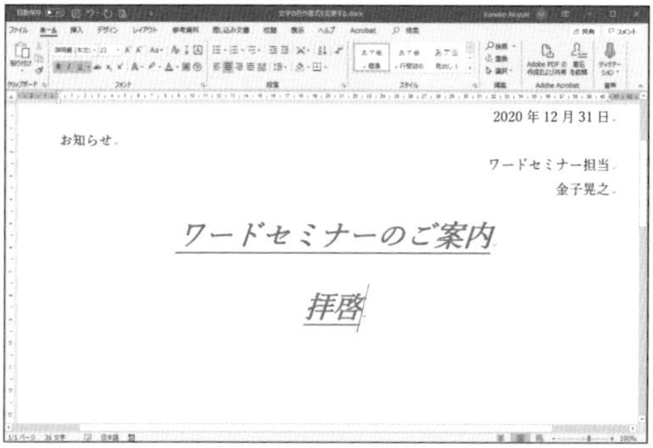

試しに「拝啓」と入力してみましょう。タイトルと同じ書式になり、どこまでがタイトルかわかりにくくなっています。

「書式のクリア」の必要性

1行前と同じ設定の文字が入ってしまいました。大きさや下線も、色も全部同じになっています。このままでは本文としては不格好です。解決するためには、書式を**初期状態**、つまり最初の状態に戻す必要があります。「**書式のクリア**」を使いましょう。

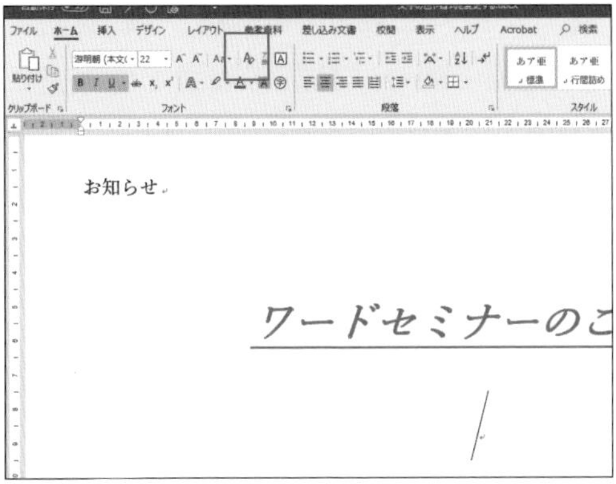

1

「**ホーム**」タブの中にある、「**A**」に消しゴムのマークがついている「**すべての書式をクリア**」ボタンをクリックしましょう。書式が初期状態に戻ります。

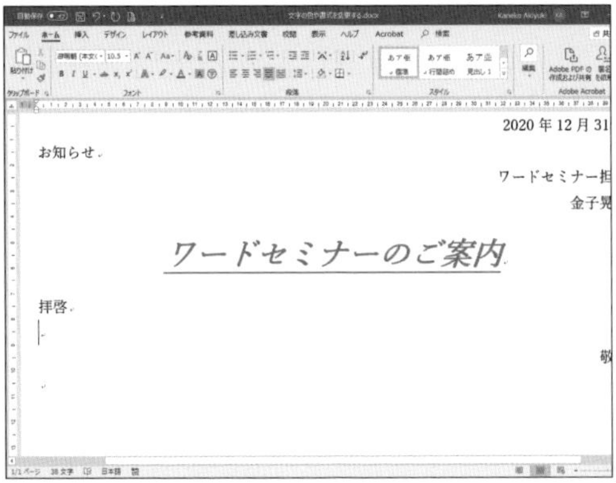

2

「**拝啓**」と入力して「**Enter**」を押します。なお、Wordには「**入力フォーマット**」という機能があり、自動的に「敬具」と入力されます。

箇条書きの設定

▶「Tab」キーで箇条書きする方法を覚えよう

Wordで文書を作る際に覚えておくと便利な機能に「**箇条書きの設定**」があります。これは名前の通り、複数の項目を箇条書きする際に非常に役立つ機能です。この機能を使えば文章を入力するたびに段落を調整する必要がないので、作業効率が格段にアップします。機能の使い方を覚えて使いこなしましょう。

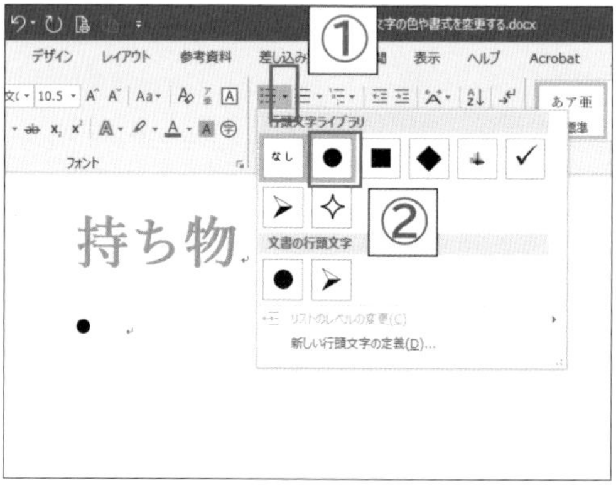

1

書式がクリアされた状態で箇条書きを作っていきます。「**ホーム**」タブ内の①の位置にある「**箇条書き**」をクリックします。今回は②を選択します。

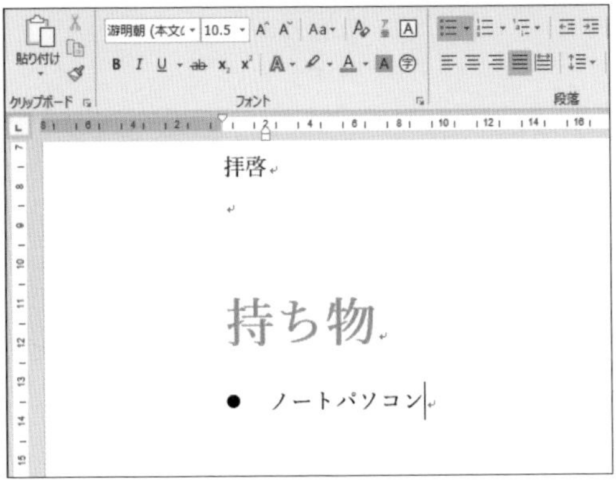

2

黒い丸が出てきました。丸の続きから箇条書きの内容を入れていきます。「**Enter**」キーで改行すると自動的に黒い丸が出てきます。

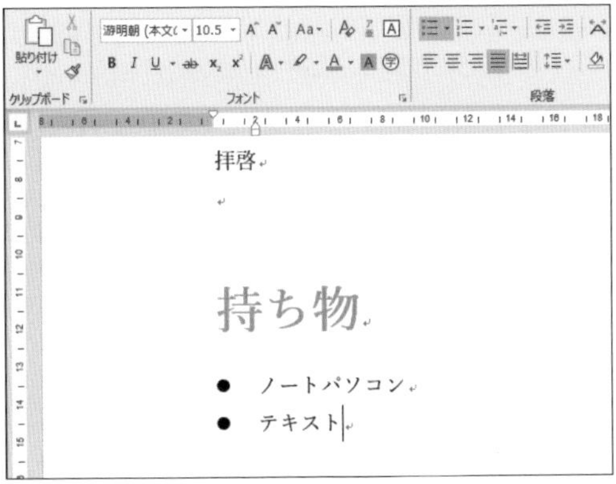

3

「テキスト」と入力しましょう。もう1回「**Enter**」キーを押すと、先ほどと同じように箇条書きが下に作られます。

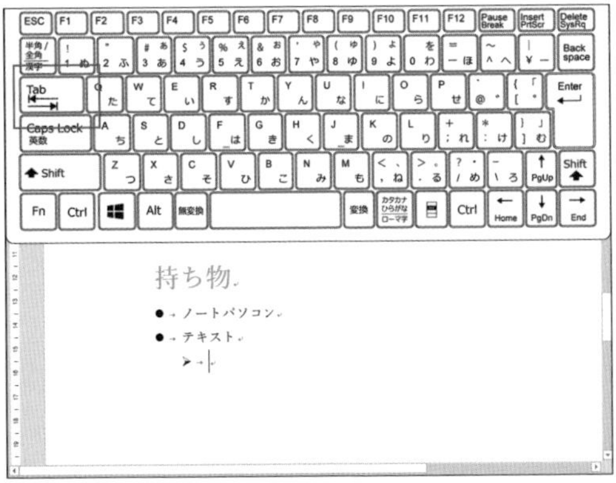

4

次はテキストのタイトルを入力していきます。箇条書きの**階層**を変更する際は、「**Tab**」キーを押します。

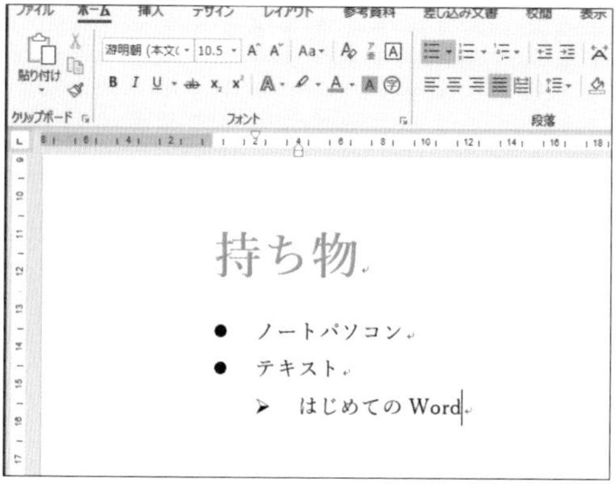

5

「はじめてのWord」と入力していきましょう。「**Shift**」キーを押しながら「**w**」キーを押すと大文字の「**W**」が入力できます。

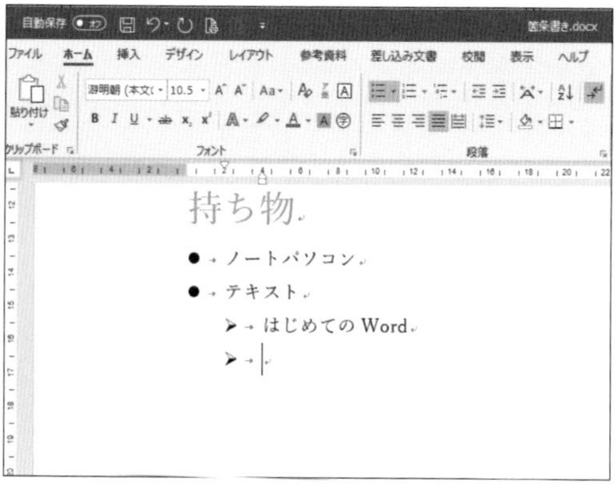

6

「**Enter**」キーを押して改行すると、同じ階層になります。文章の開始位置を「ノートパソコン」と同じにしてみましょう。左に戻す方法を覚えていきます。

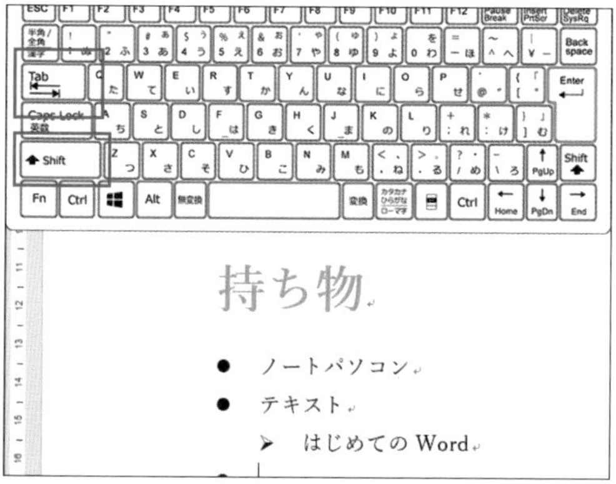

7

キーボードの「**Shift**」キーを押しながら「**Tab**」キーを押すことで、文字列の開始位置が左側に動きます。

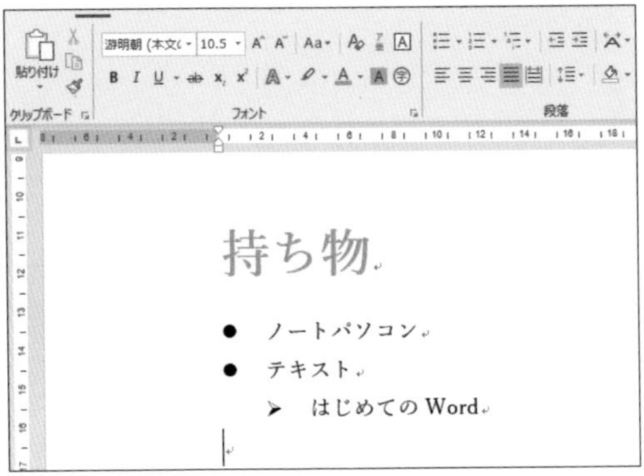

8

箇条書きを終了する際は「**Enter**」キーを2回押します。

段落番号の作成

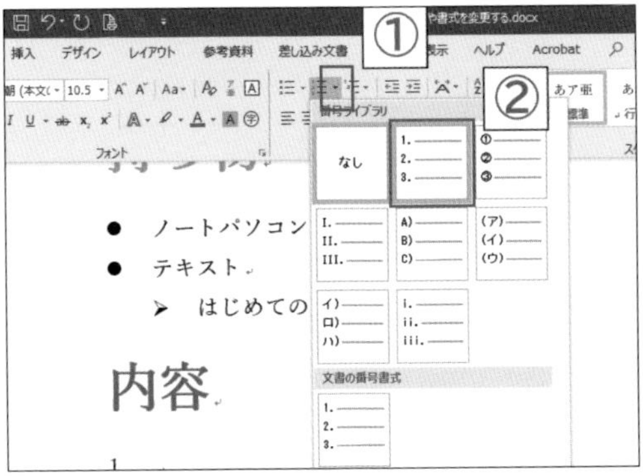

1

段落番号を作成します。「箇条書き」と同じく「**ホーム**」タブの①の位置にある「**段落番号**」をクリックします。②のように段落番号の種類が選べます。

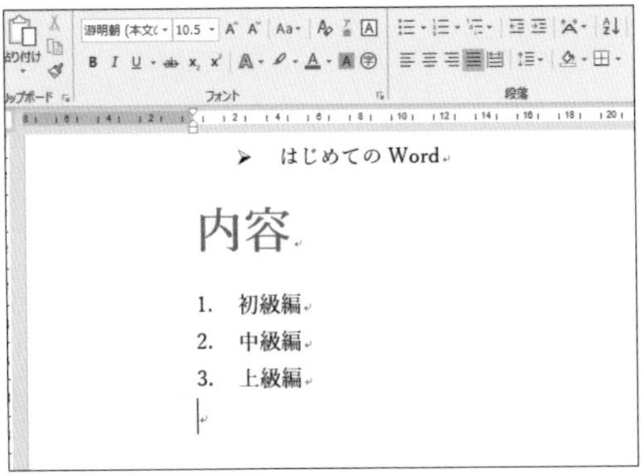

2

使い方は箇条書きとほぼ同じです。

画像の挿入

▶ 文書に画像を配置する

　Wordは、インターネットからダウンロードしてきた画像やハードディスク上にある画像などを「**挿入**」し、文書内に配置することができます。画像を挿入することによって視覚的にわかりやすい文書を作ることが可能です。

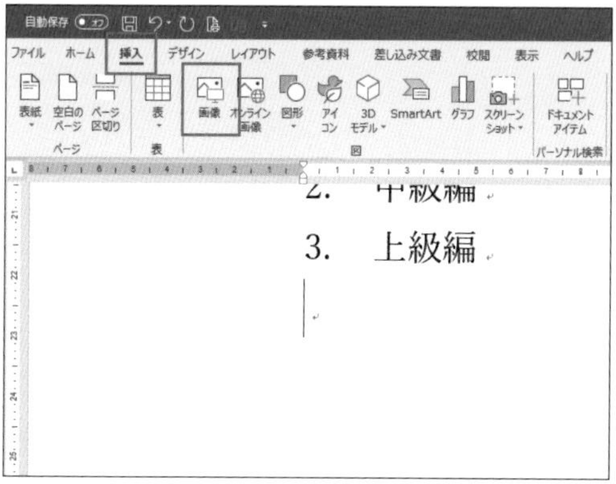

1

画像を入れたい場所をクリックし、「**挿入**」タブの右下のほうにある「**画像**」をクリックします。

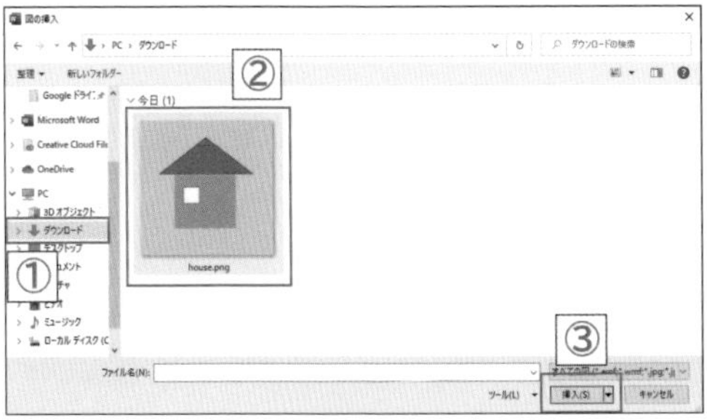

2

画像の保存場所を①で選び、画像を②で選択します。選び終えたら、③の「**挿入**」をクリックしましょう。インターネットから保存した場合は「**ダウンロード**」フォルダに入っています。

画像サイズを変更する

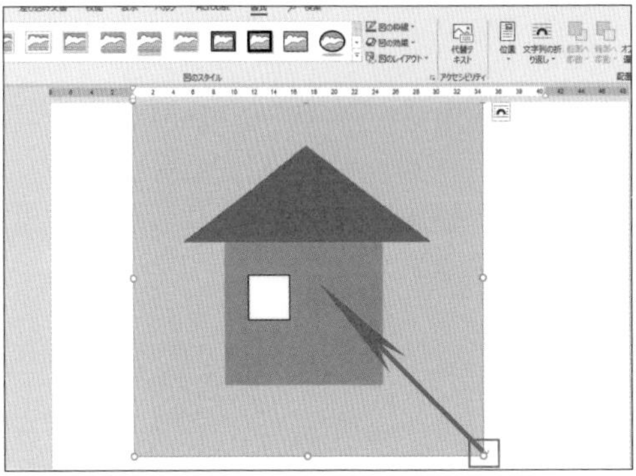

1

画像が挿入できたら、サイズを変更しましょう。画像の周囲にある**白い丸**を内側にドラッグすることで画像が小さくなります。

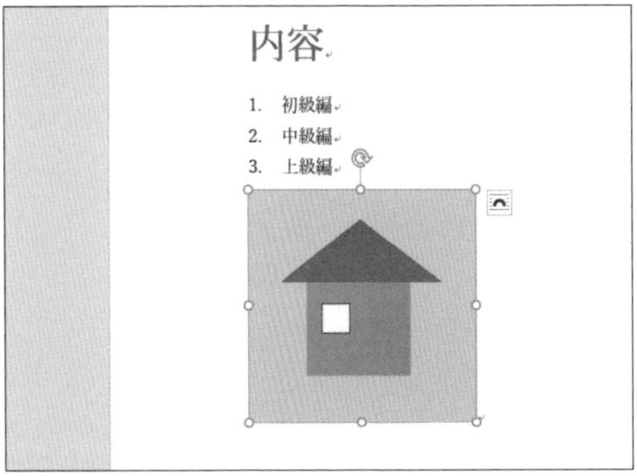

2

サイズが変更され、画像が文書に配置されました。

テキストボックスの作成

▶ 好きな場所に文字を配置する

「**テキストボックス**」の機能を使えば、自分が選んだ好きな位置に、好きな形式で文字を入れることができます。簡単にできる上に、細かい設定が可能で自由度も高いので、ぜひ使い方を覚えて使用してみてください。

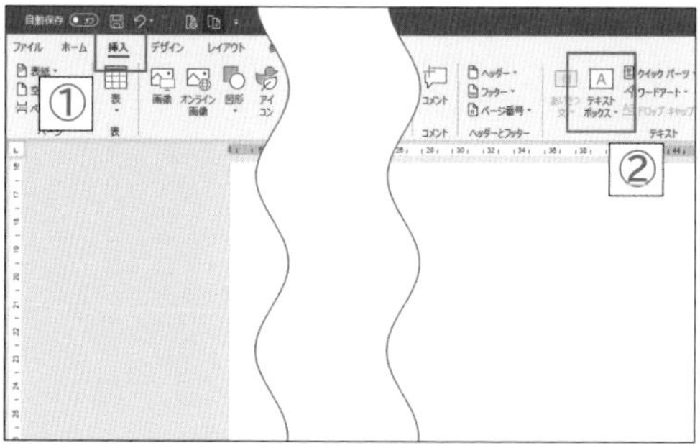

1

①の「**挿入**」タブの一番右側、②にある「**テキストボックス**」をクリックします。

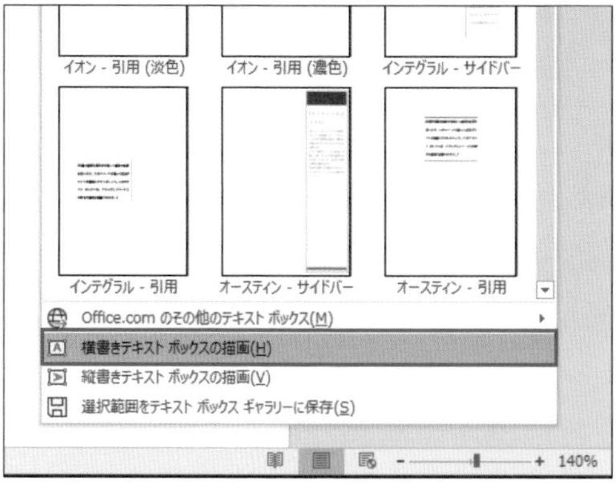

2

表示された「**組み込み**」ウィンドウの下のほうにある「**横書きテキストボックスの描画**」を選択し、１回だけクリックします（縦書きも選べます）。

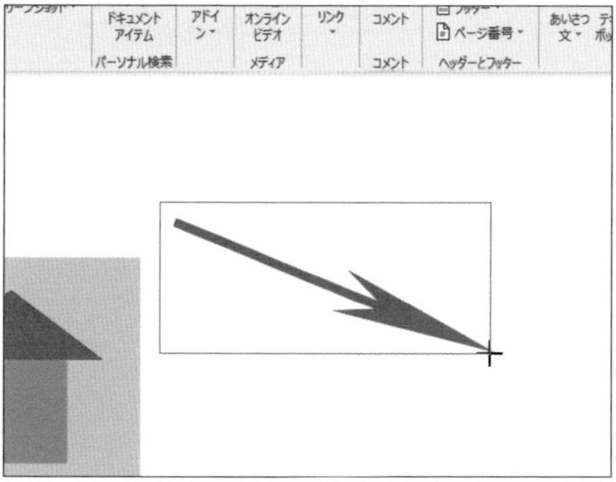

3

黒い「**＋**」マークが出てきたら、**好きな位置**でクリックしながら右下に動かし、大きさを決めます。

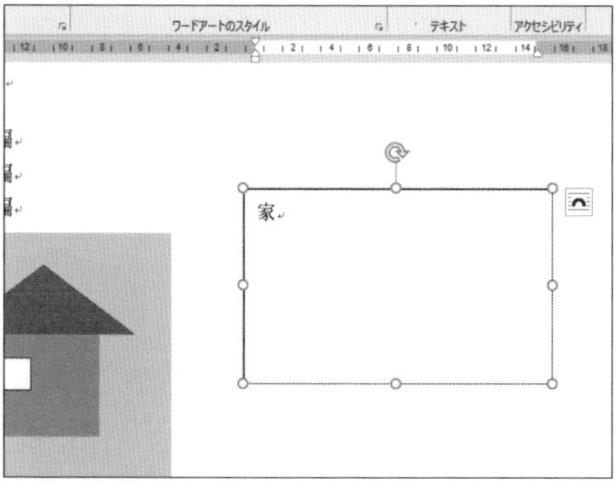

4

クリックをやめるとテキストボックスの位置が確定し、文字の入力が可能になります。

テキストボックスを透明にする

▶ 背景を透明にして枠線を消そう

「**テキストボックス**」は好きな場所に配置できるのが特徴です。しかし、テキストボックスの後ろに画像などがある場合は、テキストボックスが重なり、後ろの画像が見えなくなってしまうことがあります。そんなときは、テキストボックスを透明化するとよいでしょう。

テキストボックスを画像の上に置く

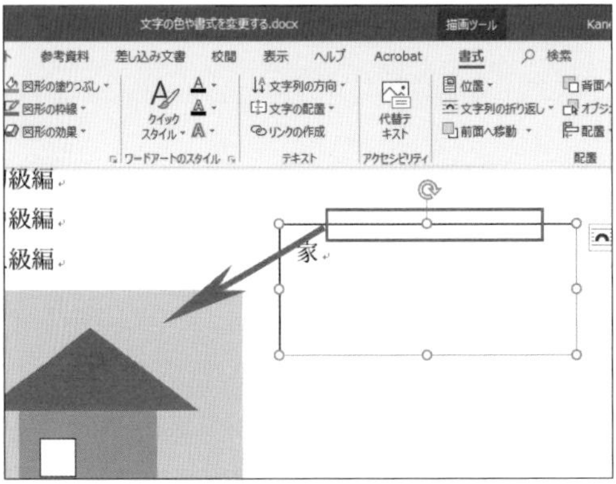

テキストボックスは枠線の位置をドラッグすることによって、位置が変更できます。

テキストボックスを透明にする

1

白色の背景が入ったテキストボックスを透明にしましょう。「**テキストボックス**」の中をクリックし、「**図形の書式**」というタブを出します。

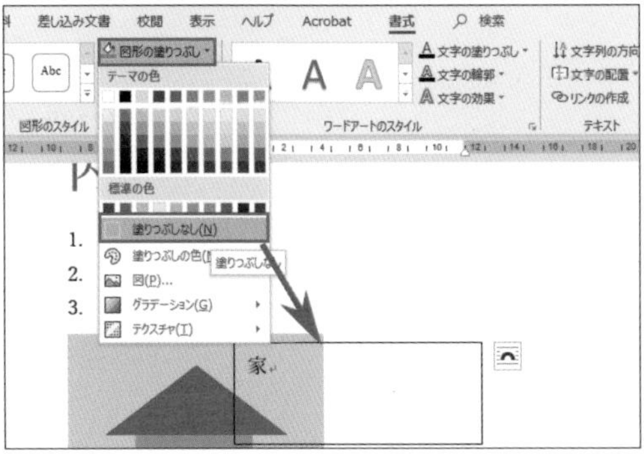

2

「図形の書式」の中の「**書式**」をクリックし、「**図形の塗りつぶし**」を選びます。「**塗りつぶしなし**」をクリックするとテキストボックスが透明になります。

テキストボックスの枠線を消す

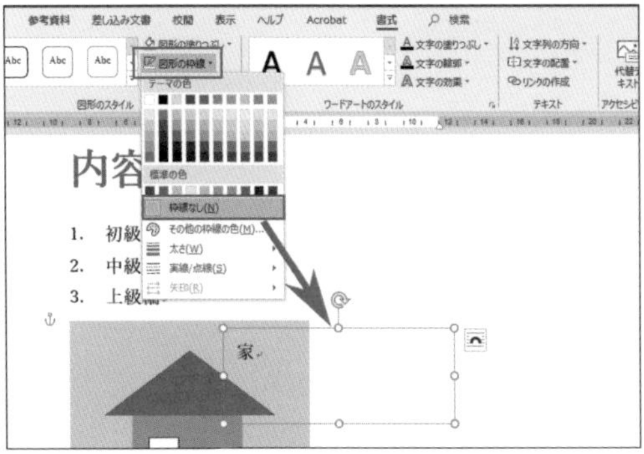

1

次に枠線を消していきましょう。「**図形の枠線**」を選び、クリックします。「**カラーパレット**」が表示されるので、下のほうの「**枠線なし**」を選びましょう。

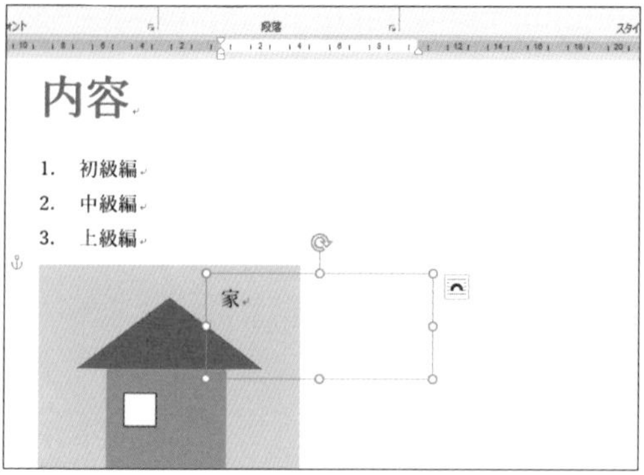

2

「枠線なし」をクリックすると、テキストボックスの枠線が消えて透明になりました。

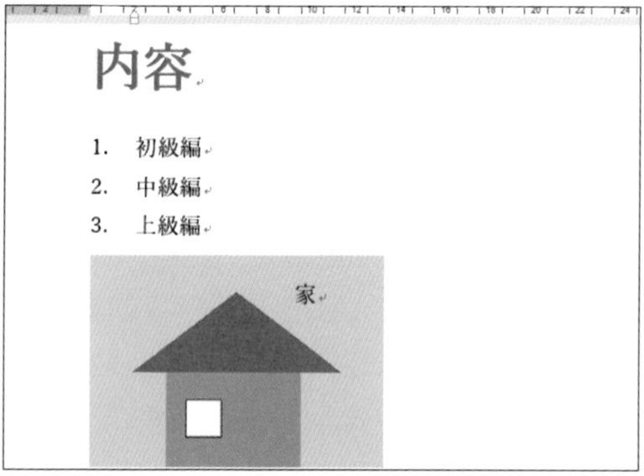

3

テキストボックスの点線は選択しているときだけ出てくるものなので、ほかのところをクリックすれば見えなくなります。

サイズを縮める

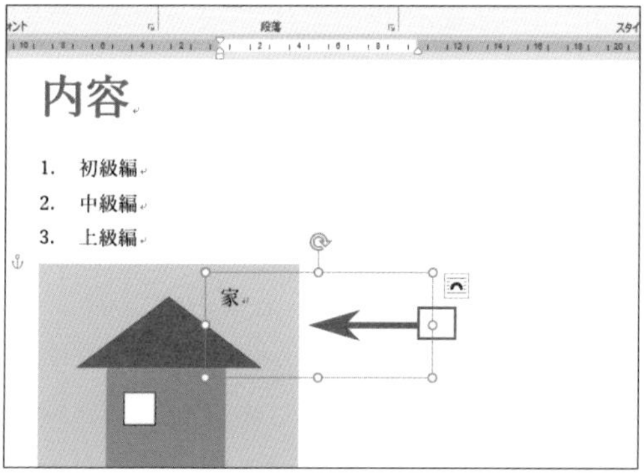

1

このままでは枠線が大きいので縮めましょう。テキストボックスの周囲右側にある**白い丸**を左へドラッグします。

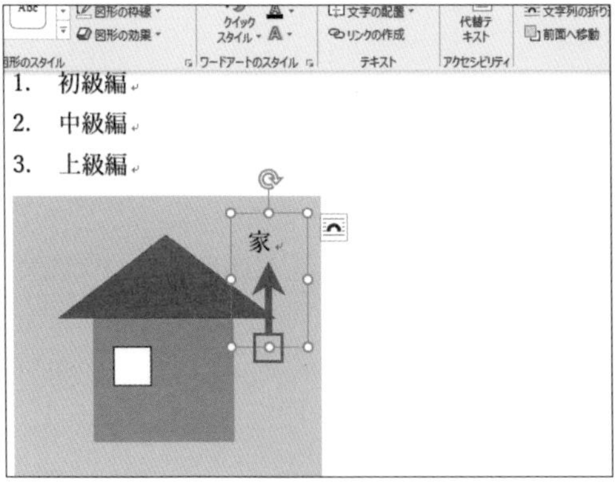

2

左右のサイズが変更できました。次はテキストボックスの周囲下中央にある**白い丸**を上へドラッグします。

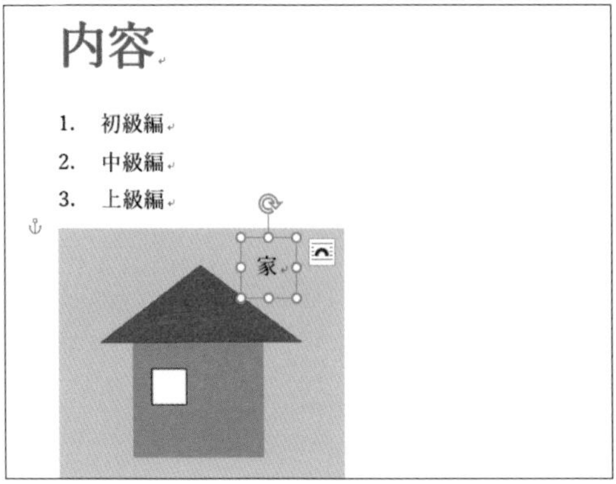

3

天地のサイズが変更され、テキストボックスが適切な大きさになりました。

Point

- ☑ 「図形の書式」「書式」の「図形の塗りつぶし」からテキストボックスの背景色を変えることができる
- ☑ 「図形の書式」「書式」の「図形の枠線」からテキストボックスの枠線の色を消すことができる

ページ番号をつける

▶ ページ番号をつけてわかりやすく

文書に「**ページ番号**」をつけてみましょう。ヘッダーかフッターを設定しておき、メニューバーの「**挿入**」タブから「**ページ番号**」を実行します。ページ内のどの位置に入れるか決め、番号のフォントを内容に合わせて選ぶと、各ページに自動的にページ番号が挿入されます。「**ヘッダーとフッターを閉じる**」をクリックすると完了です。

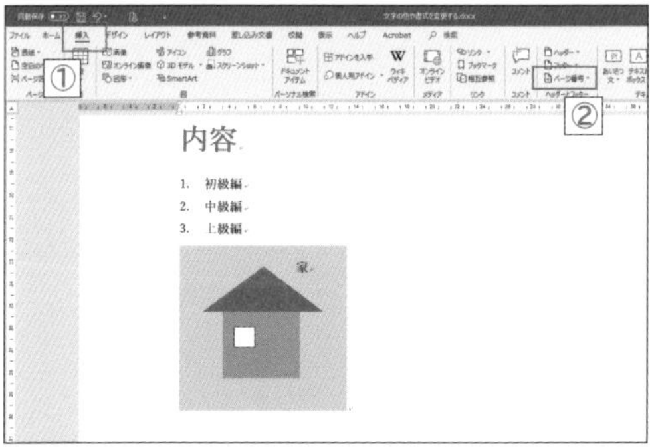

1

メニューバーの①にある「**挿入**」タブをクリックすると表示されるコマンド（機能）の中から、②の「**ページ番号**」をクリックして実行します。

2

①でページ番号を入れる**位置**が選べます。文書に合わせ、見やすい場所を選んでクリックします。②でページ番号の**フォント**も選べるので、こちらも文書に合わせて選びましょう。

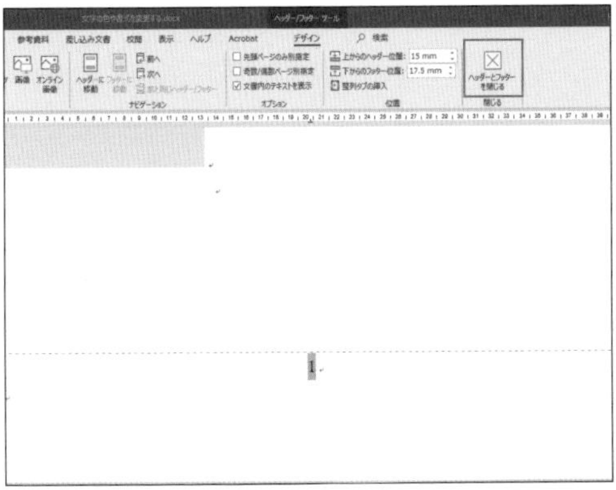

3

指定の位置にページ番号が入ったことが確認できたら、「**ヘッダーとフッターを閉じる**」をクリックすると元の画面に戻ります。

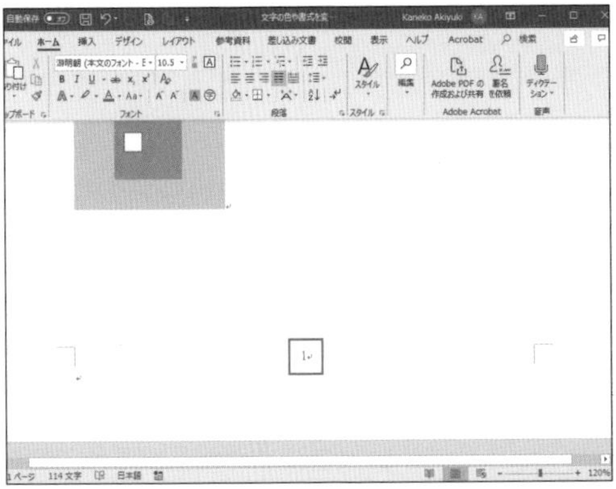

4

これで各ページにページ番号が入りました。

デバイスとは?

デバイスとは、マウスやキーボードなどの「機器の総称」です。食べ物に例えると「りんご」がマウス、「果物」がデバイスです。

一般的にデバイスという言葉を知っていると「周辺機器」だけを表す言葉と想像される方も少なくないですが、パソコンやスマートフォンなどの端末や、これまでに紹介した「CPU」「メモリ（RAM)」「ストレージ（ROM)」もすべてデバイスです。

デバイスという言葉はさまざまなシーンで使用されており、例えば、パソコンでマウスを使おうとして接続した際、「デバイスが認識されていません」という警告が出てきたりします。ここでは「マウス」のことをデバイスと表現しているのです。そのため、この警告は「マウスが認識されていません」という内容を表しています。

また、プリンターで印刷しようとしたときも「デバイスが応答していません」と表示されるケースがあります。このときのデバイスは「プリンター」を指しています。このようにデバイスという言葉はさまざまな機器の総称として使われるので、使うシーンによって指している意味が異なってきます。きちんと理解して使用しましょう。

デバイスという言葉が使われるもの

・CPU
・メモリ(RAM)
・ストレージ(ROM)
・キーボード
・マウス
・プリンター
・USBメモリ

…etc.

4章　Word　中・上級編

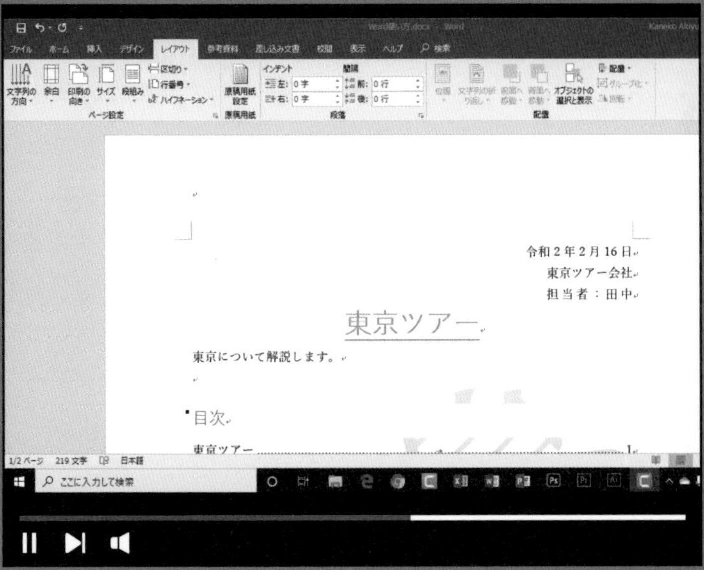

Wordでの文書作成の基本はおわかりいただけたでしょうか。本章では、さらに踏み込んだWordの機能や使い方を紹介していきます。Wordの便利な機能を駆使して、効率よく、きれいな文書を作成しましょう。

動画でまとめて学ぶ

https://pasonyu.com/book109

文字にスタイルを設定する

▶ 文字の見た目を整える

文書作成では、文字を選択し、**フォント**や**サイズ**を決め、**アンダーライン**や**影文字**などの飾りをつける作業を行います。しかし、これらを毎回細かく設定する作業はかなりの手間です。この作業を定型から選ぶことで、文書の見た目を効率的に設定、変更できるのが「**文字にスタイルを設定**」する機能です。

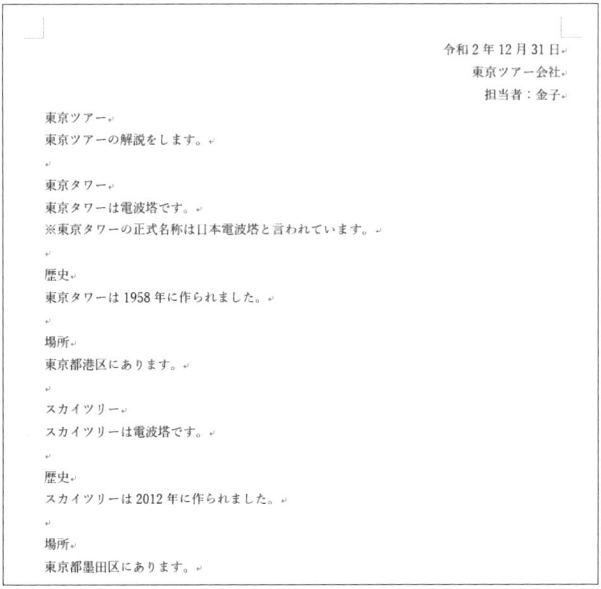

令和 2 年 12 月 31 日
東京ツアー会社
担当者：金子

東京ツアー
東京ツアーの解説をします。

東京タワー
東京タワーは電波塔です。
※東京タワーの正式名称は日本電波塔と言われています。

歴史
東京タワーは 1958 年に作られました。

場所
東京都港区にあります。

スカイツリー
スカイツリーは電波塔です。

歴史
スカイツリーは 2012 年に作られました。

場所
東京都墨田区にあります。

スタイルの考え方はすべての文書を作成する際に必要な考え方です。まずは、上の画像のように文書を作成してみましょう。

スタイルの考え方

スタイルの考え方を理解しましょう。

・表題→文書全体を表すメインタイトル
・見出し1→文書のメイン項目
・見出し2→見出し1のサブ項目

下の画像の文章では、東京ツアー（**表題**）の中に、東京タワー（**見出し1**）やスカイツリー（**見出し1**）に関しての記述があり、さらにその中に歴史（**見出し2**）と場所（**見出し2**）の記述がある構造になっています。

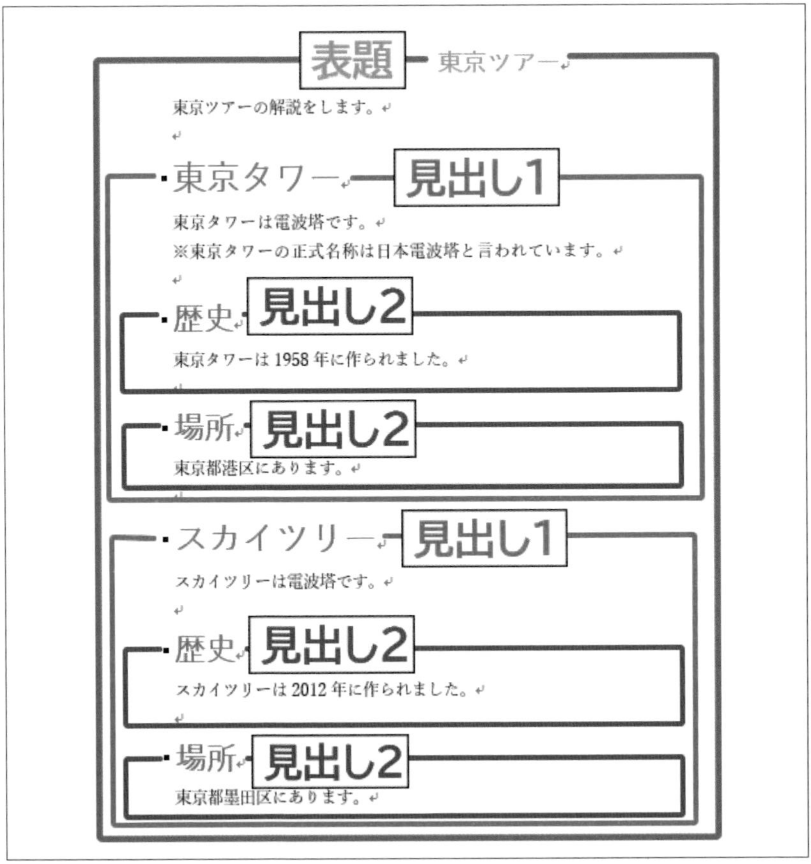
表題
東京ツアー
東京ツアーの解説をします。
東京タワー
見出し1
東京タワーは電波塔です。
※東京タワーの正式名称は日本電波塔と言われています。
歴史
見出し2
東京タワーは1958年に作られました。
場所
見出し2
東京都港区にあります。
スカイツリー
見出し1
スカイツリーは電波塔です。
歴史
見出し2
スカイツリーは2012年に作られました。
場所
見出し2
東京都墨田区にあります。

スタイルの設定

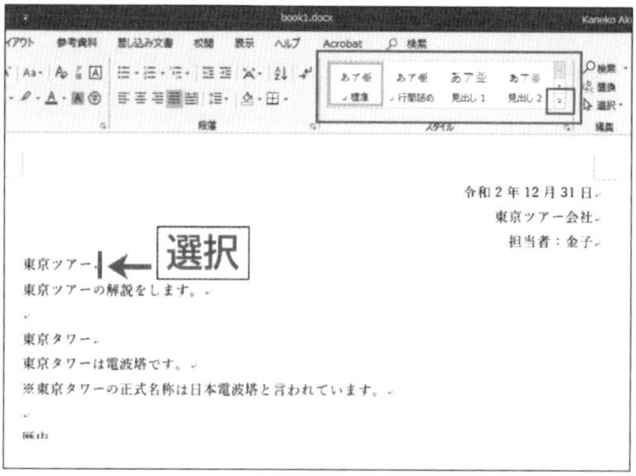
book1.docx
選択
令和2年12月31日
東京ツアー会社
担当者：金子
東京ツアー
東京ツアーの解説をします。
東京タワー
東京タワーは電波塔です。
※東京タワーの正式名称は日本電波塔と言われています。

1

スタイルをつけたい行を選択した状態で「**ホーム**」タブ右側の「**スタイル**」から「**表題**」を探します。一覧にない場合は下向き三角形をクリックします。

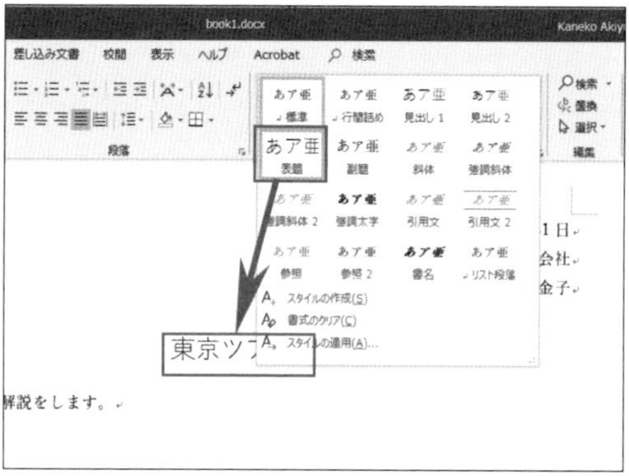
book1.docx
表題
スタイルの作成(S)
書式のクリア(C)
スタイルの適用(A)...
東京ツア
解説をします。

2

「**表題**」をつけます。先ほど選択していた行の文字が大きくなりました。これが表題の初期状態のスタイルです。

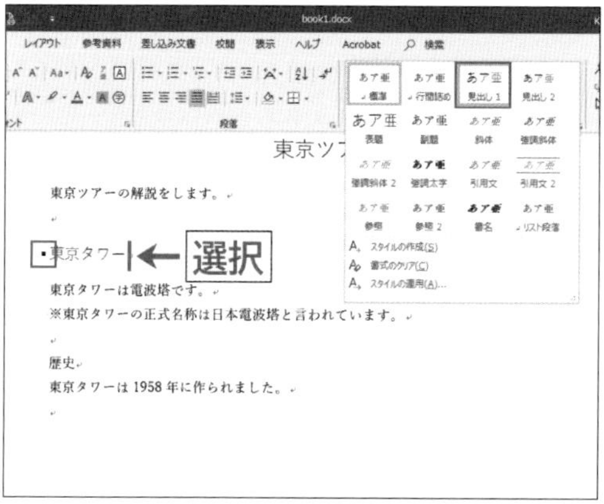
book1.docx
見出し1
東京ツアーの解説をします。
東京タワー
選択
東京タワーは電波塔です。
※東京タワーの正式名称は日本電波塔と言われています。
歴史
東京タワーは1958年に作られました。

3

「東京タワー」にもスタイルをつけます。「**見出し1**」をクリックすると、「東京タワー」の字が大きくなります。見出し1は先頭に黒い丸がつきますが、この丸は印刷されません。

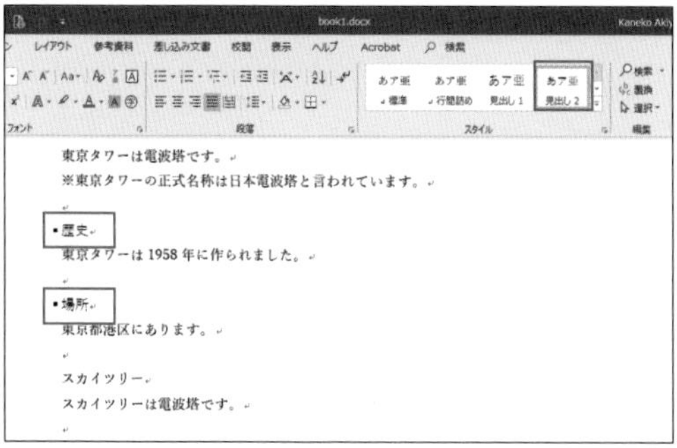
book1.docx
東京タワーは電波塔です。
※東京タワーの正式名称は日本電波塔と言われています。
歴史
東京タワーは1958年に作られました。
場所
東京都港区にあります。
スカイツリー
スカイツリーは電波塔です。

4

「歴史」「場所」には「**見出し2**」をつけます。「2」は「1」の中に含まれる小さな項目です。さらに小さい項目は「**見出し3**」になります。

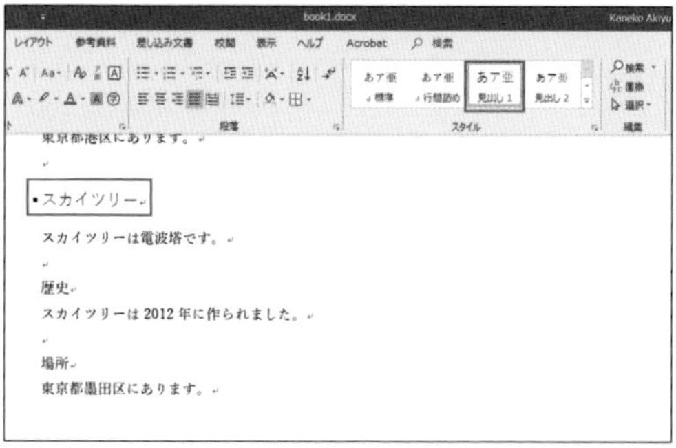
book1.docx
スカイツリー
スカイツリーは電波塔です。
歴史
スカイツリーは2012年に作られました。
場所
東京都墨田区にあります。

5

「スカイツリー」は「東京タワー」と並ぶ大きい項目なので、「**見出し1**」のスタイルです。クリックすると文字が「東京タワー」と同じサイズになります。

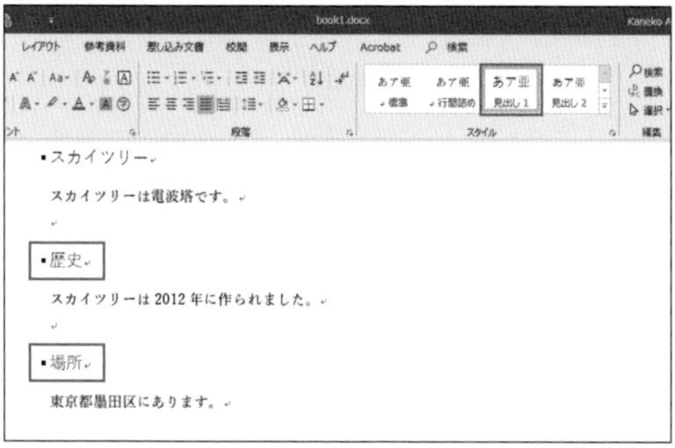
book1.docx
スカイツリー
スカイツリーは電波塔です。
歴史
スカイツリーは2012年に作られました。
場所
東京都墨田区にあります。

6

「歴史」「場所」は「1」の中の項目なので「見出し2」のスタイルです。

スタイルごと設定を変更する

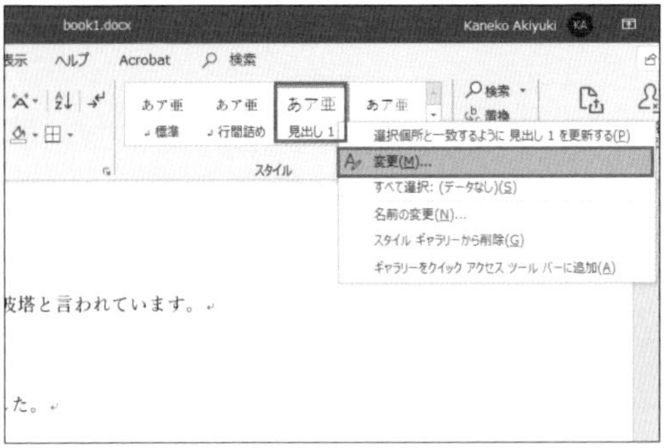

1

スタイルの設定を変更してみましょう。「見出し1」を右クリックし、メニューから「**変更**」をクリックします。

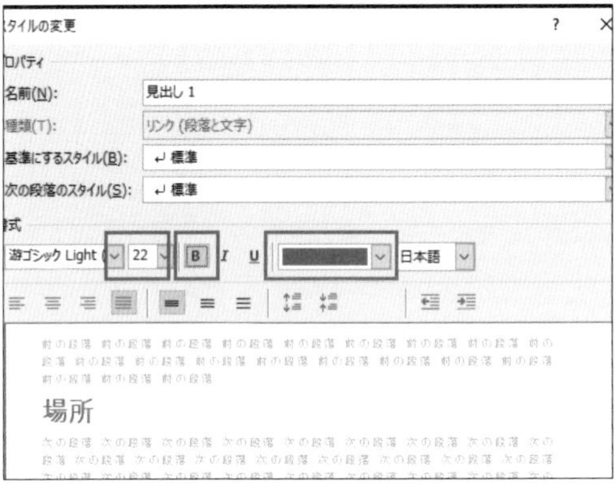

2

ダイアログボックスから大きさや太字の設定、色などを選択します。

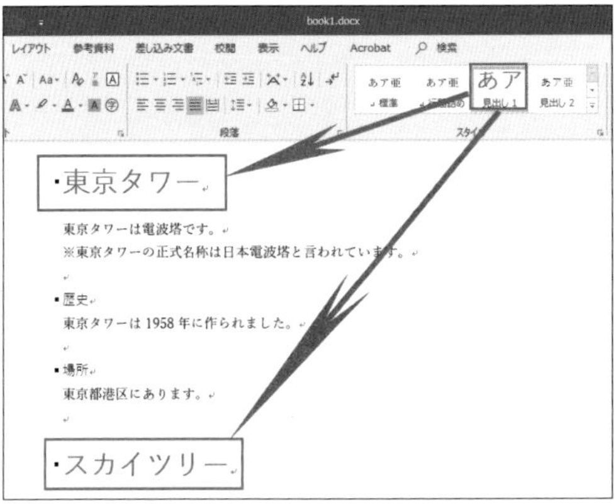

3

「**OK**」をクリックすると、「見出し１」の項目が一気に変更されます。「東京タワー」「スカイツリー」の色が赤に変更されました。

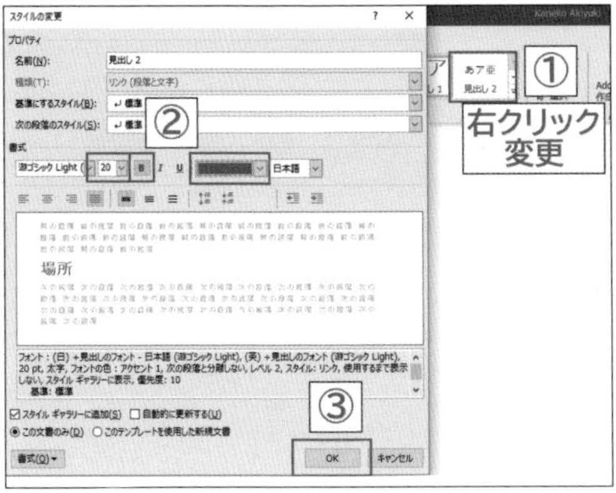

4

①の「見出し2」も右クリックし、メニューから「変更」を選びダイアログボックスを開きます。②で文字の大きさや太さ、色を変えてみます。終わったら③の「OK」をクリックしましょう。

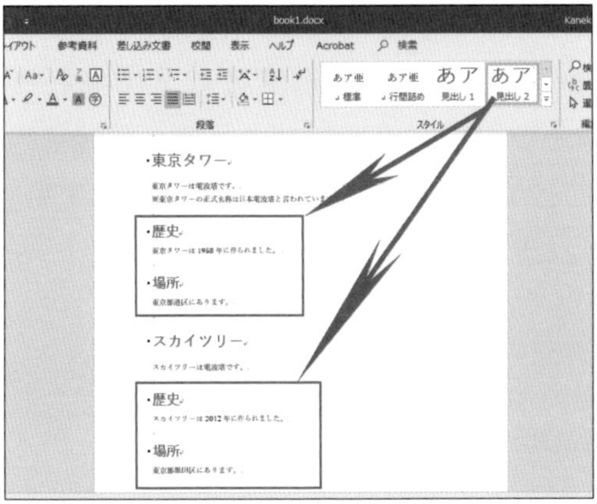

5

「見出し2」の文字の大きさや太字の設定、色などが一気に変更できました。

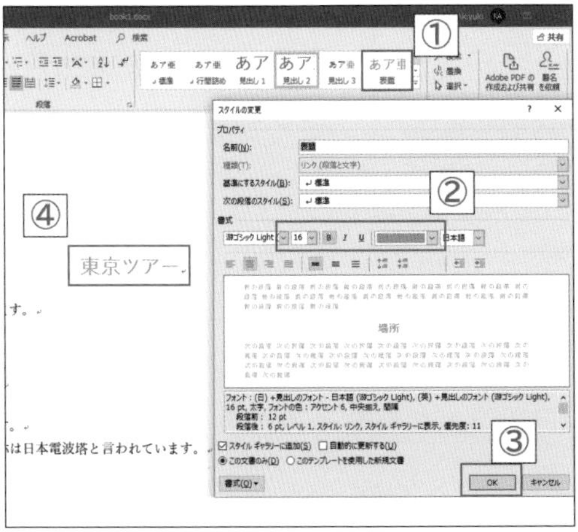

6

最後に①の「**表題**」を右クリックします。メニューから「**変更**」を選び、②の文字の大きさや太さ、色を設定し、変更してみましょう。③の「OK」をクリックすると、④の「東京ツアー」が変わりました。

文字を大きくしたときの行間の詰め方

▶ 広がってしまった行間を直す

Word文書の文字を大きくすると、行間も広がってしまいます。その場合、メニューバーの「**ホーム**」タブから「**段落**」を選択、「**行間**」のメニューから「**1ページの行数を指定時に文字を行グリッド線に合わせる**」のチェックマークを外すことで、行間を自分の好きな間隔に設定することが可能です。文字が大きくなっても、自動的に適切な幅へ修正されます。

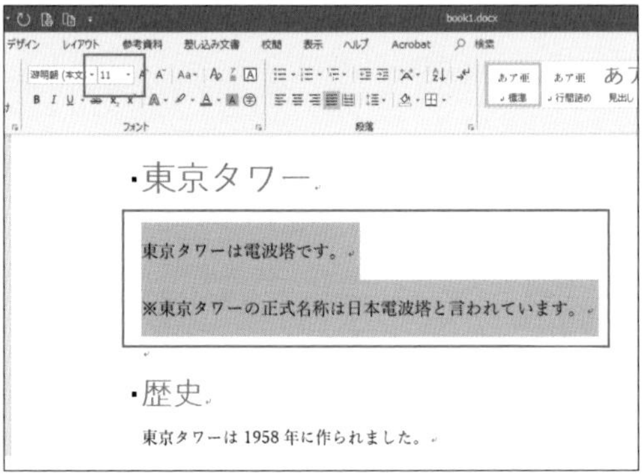

1

文字のサイズを大きくしてみましょう。そうすると、行間も一緒に広がってしまいます。

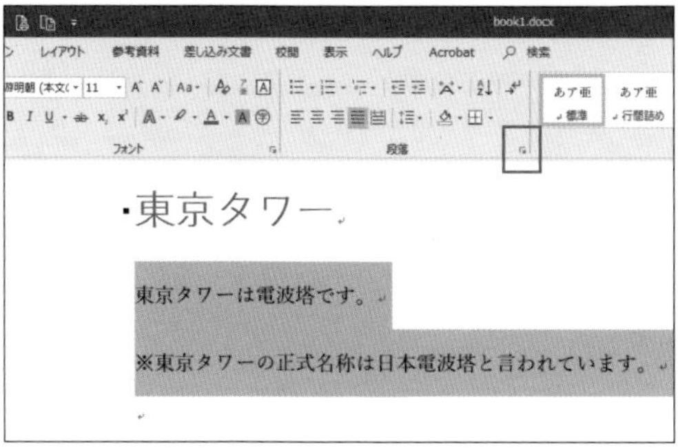

2

行間を縮めたい箇所を選択した状態で、**「ホーム」**タブの**「段落」**の右下向き矢印をクリックします。

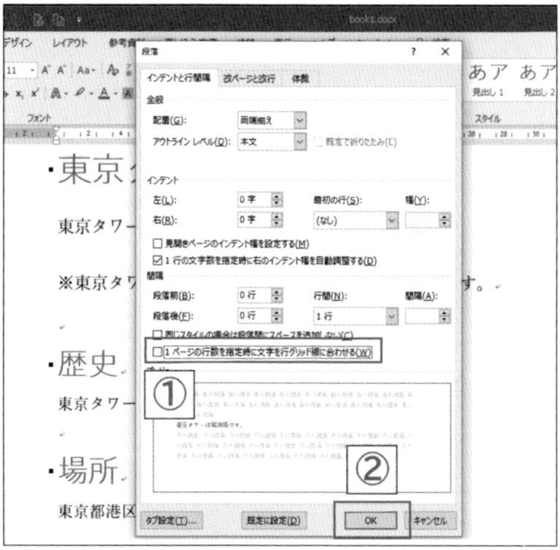

3

「段落」ウィンドウ下の①にある**「1ページの行数を指定時に文字を行グリッド線に合わせる」**のチェックマークを外します。次に②の「OK」をクリックします。

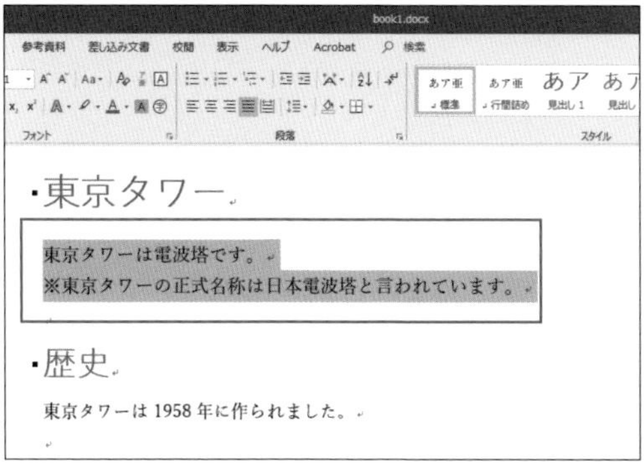

4

文字サイズが大きいまま、行間が変更されました。

スタイルでの行間の詰め方

▶ スタイルでまとめて行間を変更する

前項で紹介した方法では、行間が変更できるのは選択した範囲のみです。毎回文章を選択して変更するのは大変なので、文書全体の行間が自動的に修正されるように変更しましょう。「**表題**」や「**見出し**」以外の文字や、入力していく文字を、すべて大きくしたい場合には「**スタイル**」を使います。「表題」や「見出し」以外の文字には、デフォルトで「**標準**」のスタイルが設定されています。「スタイル」を使って行間を詰めてみましょう。

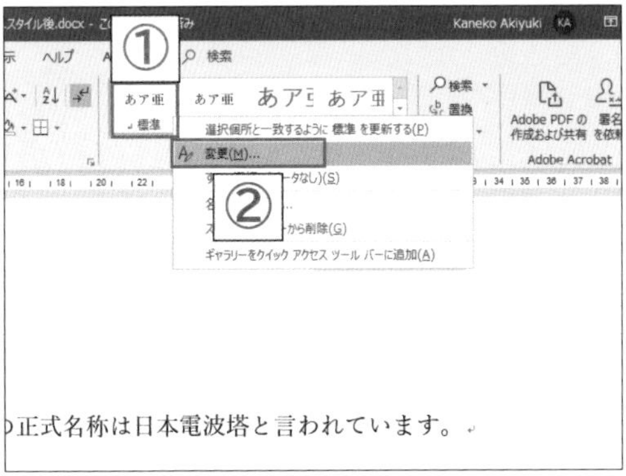

1

①の「**標準**」スタイルを右クリックし、メニューから②の「**変更**」を選択します。

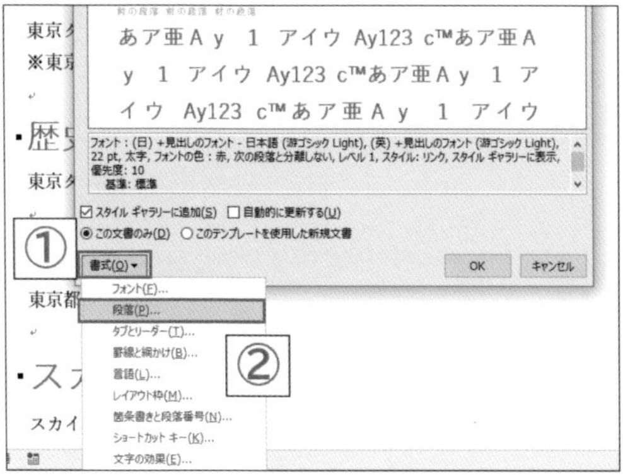

2

ダイアログボックスの左下の①にある「**書式**」をクリックして②の「**段落**」を選びます。

3

「段落」ウィンドウ下の「**1ページの行数を指定時に文字を行グリッド線に合わせる**」のチェックマークを外し、「OK」をクリックします。

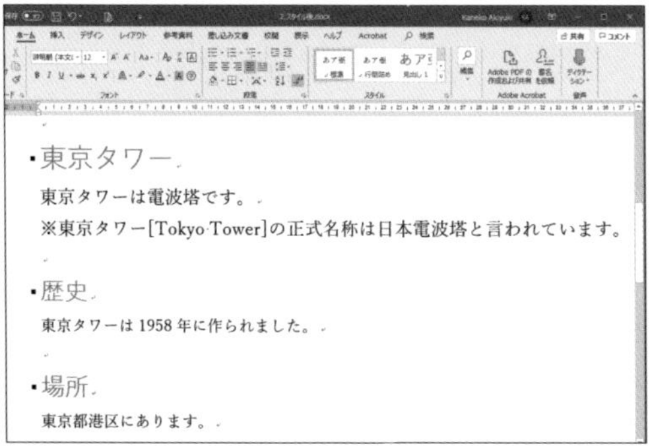

4

すべての文字の行間が変わりました。

目次の作成

▶ スタイルから目次を作る

「スタイル」の見出しには、文書の構造を表す「アウトライン」というものが設定されています。そのため、スタイルを正しく設定しておけば、Wordは文書の構造を読み取ってくれます。さらに、Wordにはスタイルで設定した**「表題」「見出し1」「見出し2」**を自動的に目次として表示する機能があります。

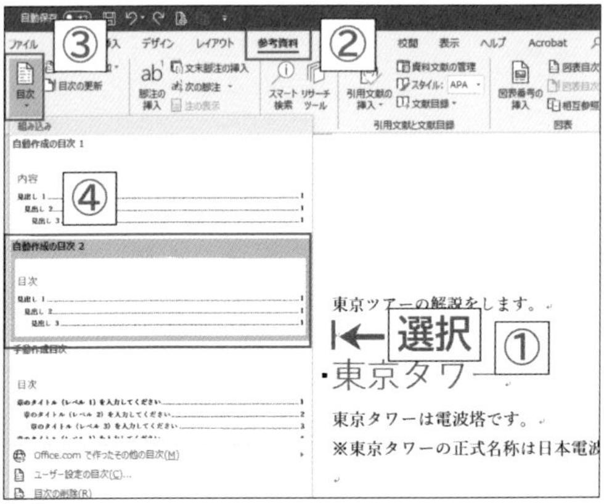

1

①で目次を設定したい箇所を選択し、②の「**参考資料**」タブから③の「**目次**」をクリックします。「組み込み」ウィンドウから④の「**自動作成の目次2**」をクリックしましょう。

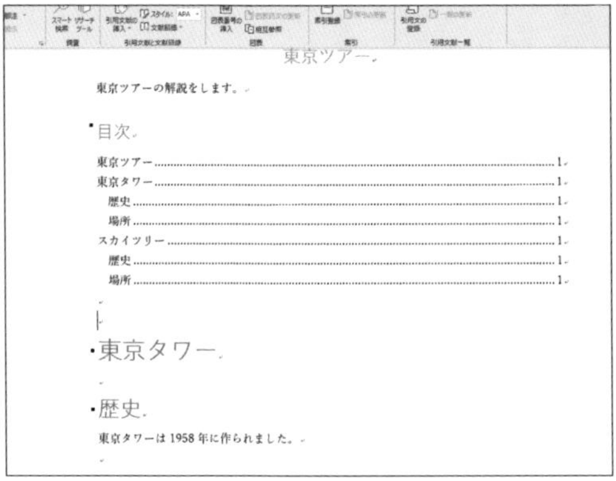

2

目次が作成できました。この目次は、文書に変更があった場合も簡単に修正できます。

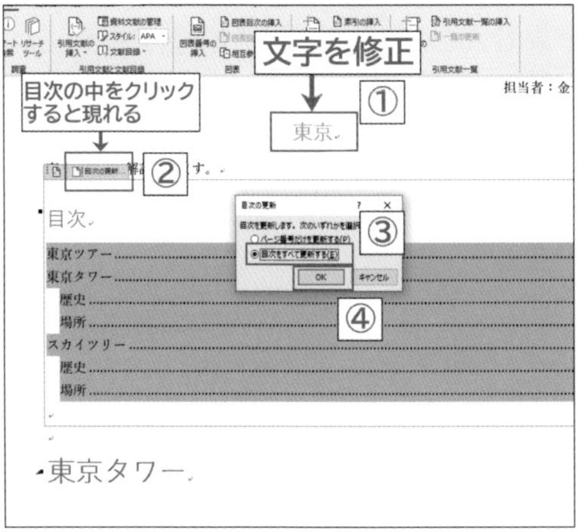

3

表題の「ツアー」を削除してみます（①）。削除後、目次内を1度クリックし、②の「**目次の更新**」をクリックします。③の「**目次をすべて更新する**」を選択し、④の「OK」をクリックします。

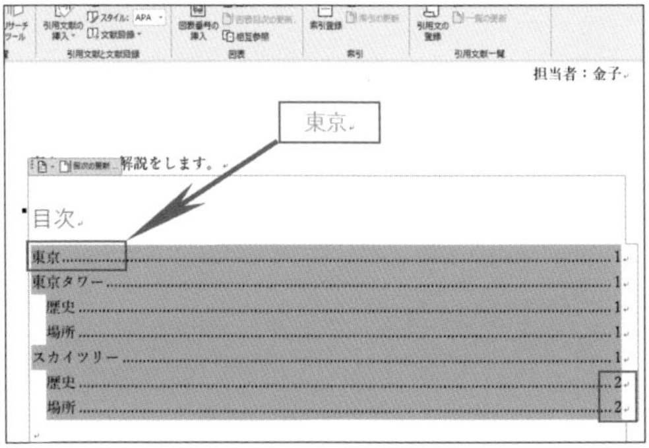

4

目次の表題が自動的に「東京」に変更されました。また、目次を追加したことによって変更されたページ番号も更新されました。

文字列の折り返し（前面、四角、上下、背面の違い）

▶ 画像の配置の仕方を覚えよう

Wordの画像には「**行内**」と「**文字列の折り返し**」のふたつの設定があります。初級編で文書に画像を挿入する方法を学びましたが、画像を挿入した直後は「行内」が設定されており、画像を自由に動かすことができません。画像を自由に動かすためには「文字列の折り返し」の設定が必要なのです。「文字列の折り返し」と「行内」との違いや、「文字列の折り返し」の主な4つの使い方を覚えましょう。

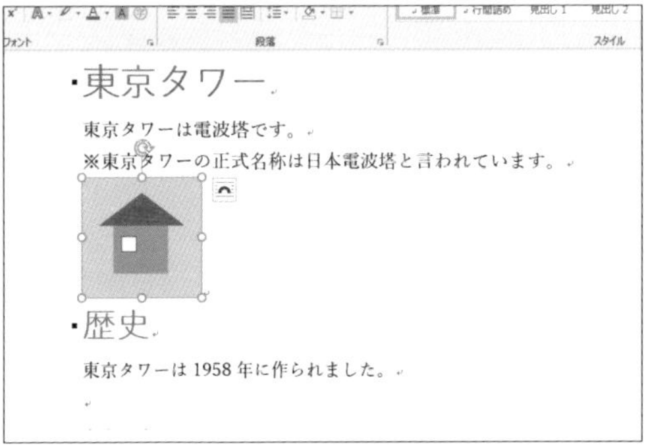

「※東京タワーの正式名称は日本電波塔と言われています。」の下に画像を配置してみましょう。

「文字列の折り返し」の設定方法

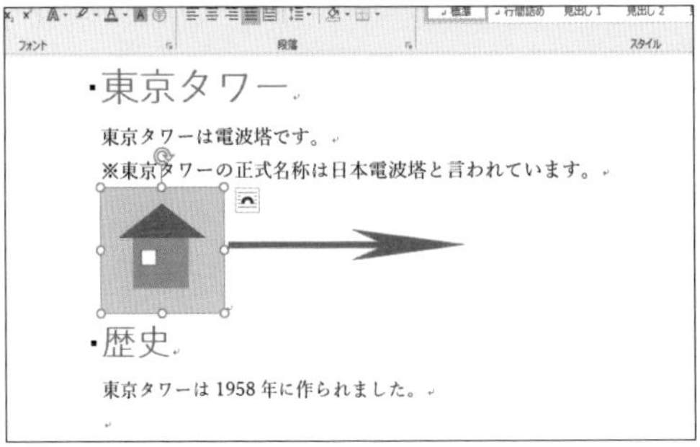

1

画像を右に移動しようとしても動かせません。これは初期設定が「**行内**」になっているためです。

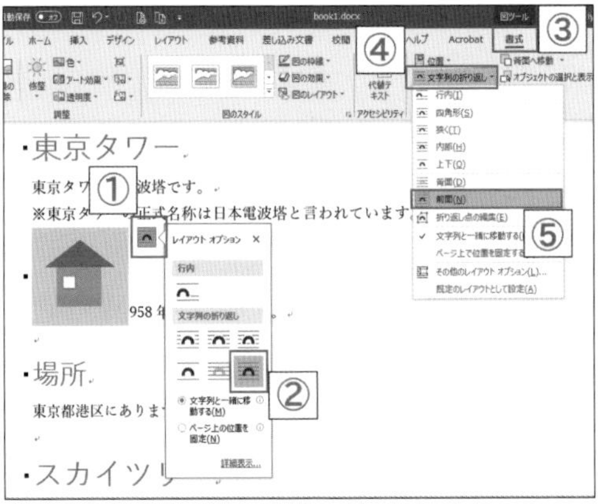

2

①からレイアウトオプションの「**文字列の折り返し**」左上にある②の「**前面**」をクリックすると、画像が上のほうに移動します。画像の右にマークが出ない場合は「**書式**」タブより③から⑤の順序で設定しましょう。

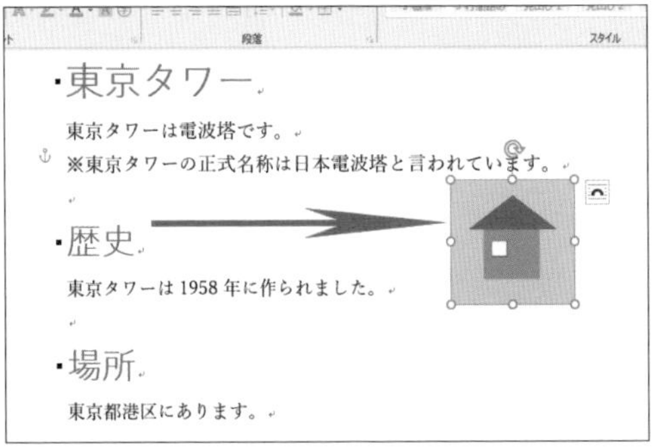

3

画像を右にドラッグしてみましょう。今度は画像が右に移動できました。

文字列の折り返しの種類の違い

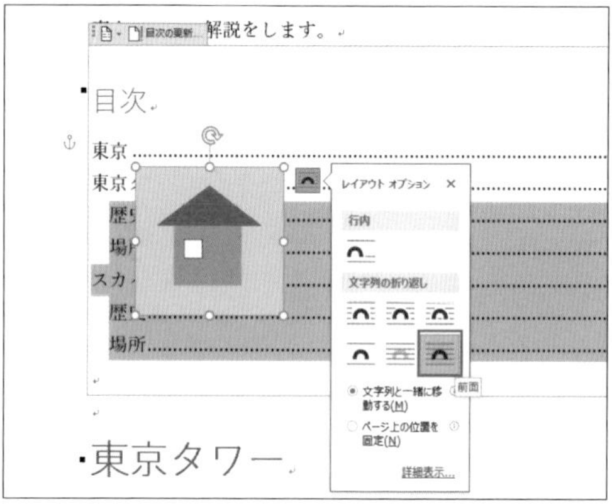

【前面】

画像が文字の前に配置されます。文字の上に画像をのせることができます。

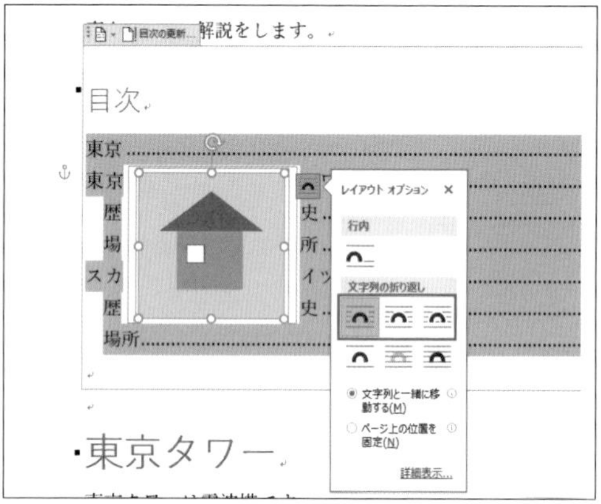

【四角（狭く・内部）】

画像の周りに文字が配置されます。隣の「狭く」と「内部」も四角い画像の場合は「四角」とほぼ同じ配置になります。

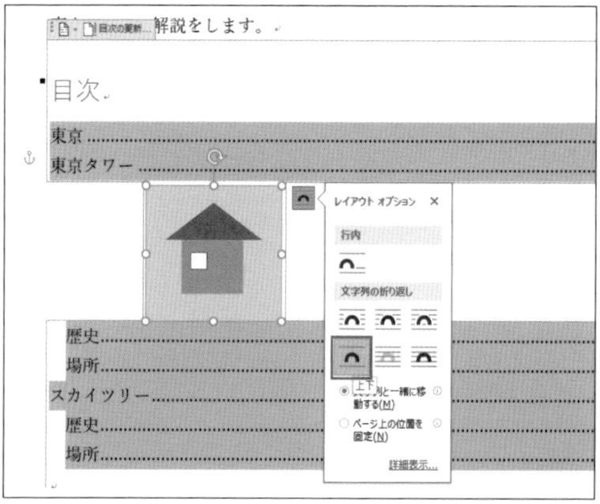

【上下】

画像の上下に文字が配置されます。画像の横には文字は配置されません。

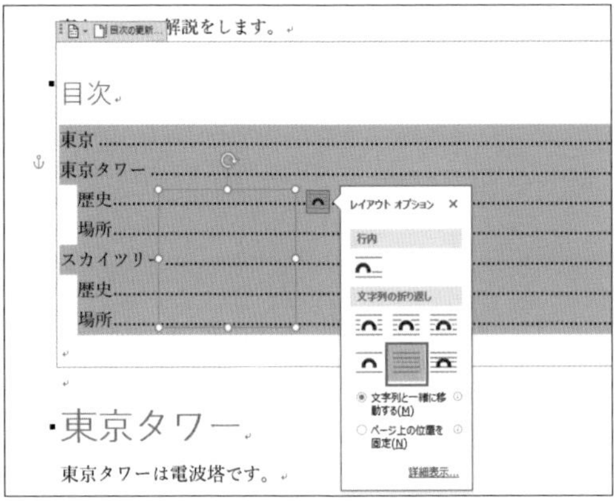

【背面】

文字の後ろに画像が配置されます。画像が文書の背景状態になります。

「行内」の画像が動かない理由

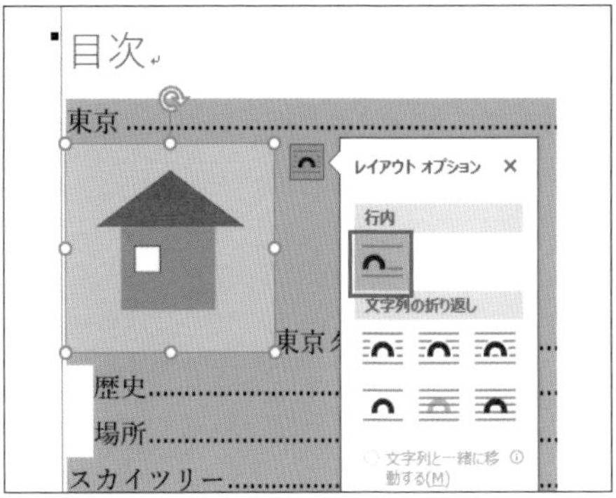

設定が「**行内**」の場合、画像が動かないと説明しましたが、厳密には動かすことができます。「行内」では、画像は文字として認識されているので、画像を動かすと文字の間に画像が移動します。

①画像を右にドラッグする。

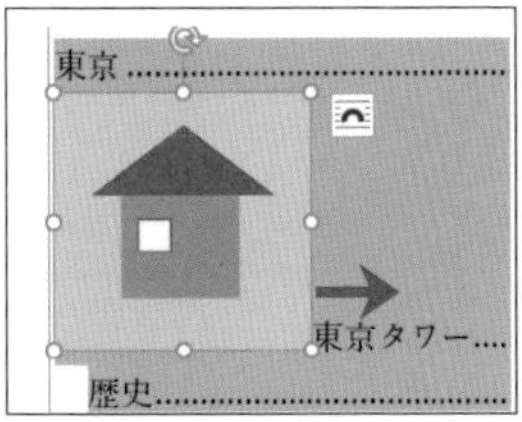

②文字の間で離す。

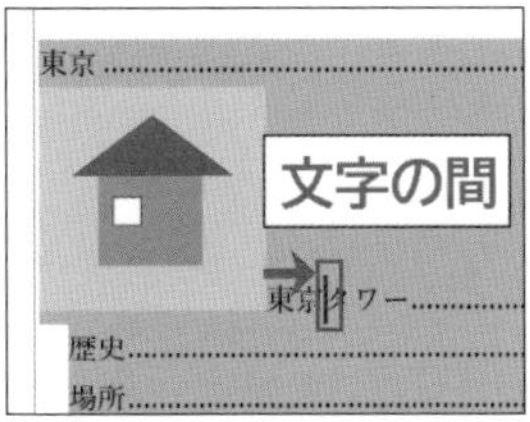

③文字の間に画像が配置される。

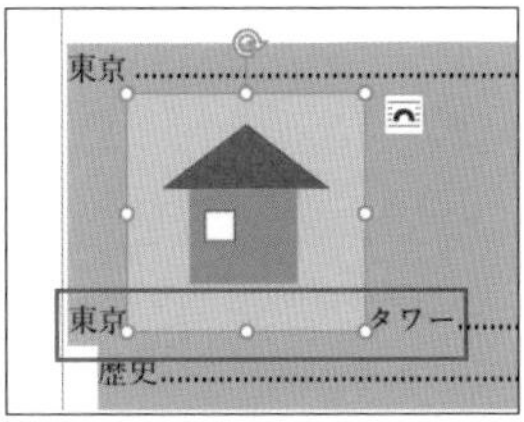

アンカー記号について

▶ 画像の位置を表す記号

「文字列の折り返し」を使って、文書の中で画像を動かすときは、画像左上、文書の前後に**「アンカー（錨）記号」**が表示されます。これは画像を動かした場合に、どこに位置しているかをわかりやすく示す記号です。画像は「アンカー記号」がある位置に配置されており、文字と一緒に選択すると画像も選択されてしまいます。それを防ぐためにもアンカー記号について理解しておきましょう。

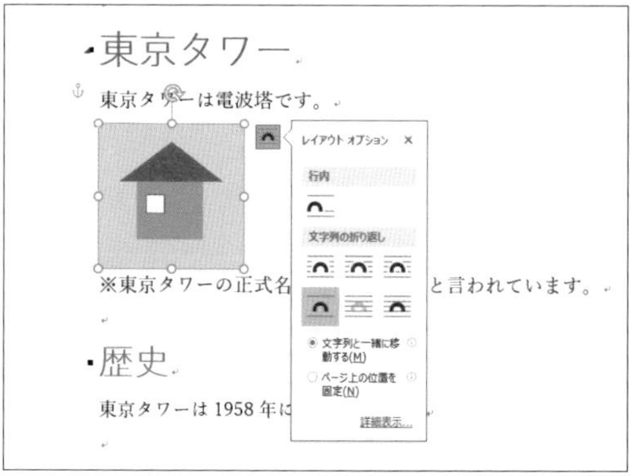

1

「文字の折り返し」で**「上下」**を選んだ画像を「東京タワーは電波塔です。」の下に配置してみましょう。

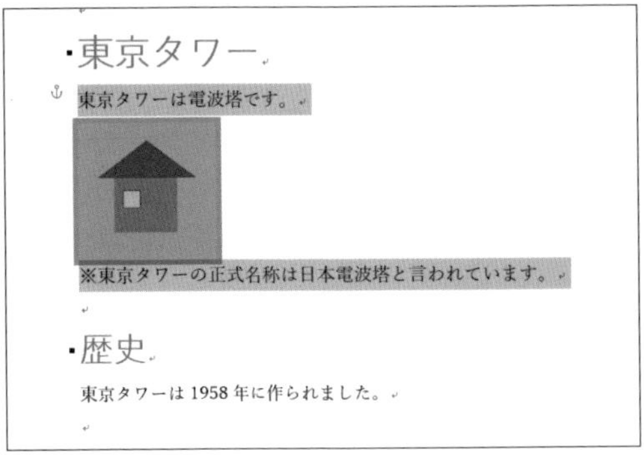
東京タワー
東京タワーは電波塔です。
※東京タワーの正式名称は日本電波塔と言われています。
歴史
東京タワーは 1958 年に作られました。

2

文章を選択すると、間にある**画像も一緒に選ばれてしまいます**。

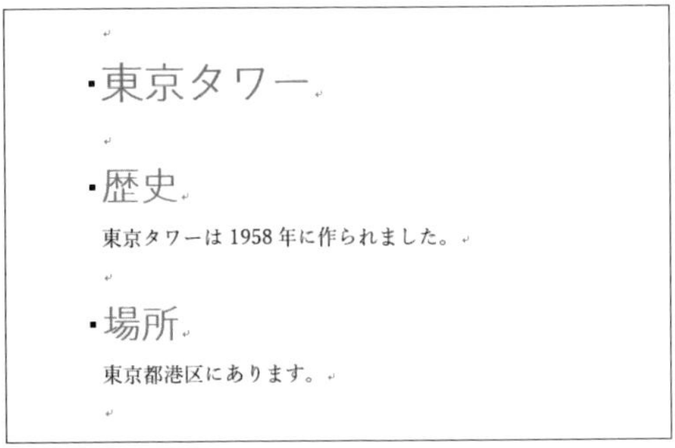
東京タワー
歴史
東京タワーは 1958 年に作られました。
場所
東京都港区にあります。

3

文字を切り取ると、画像も一緒に消えてしまいます。このとき、画像を選択しないために使うのが「**アンカー記号**」なのです。

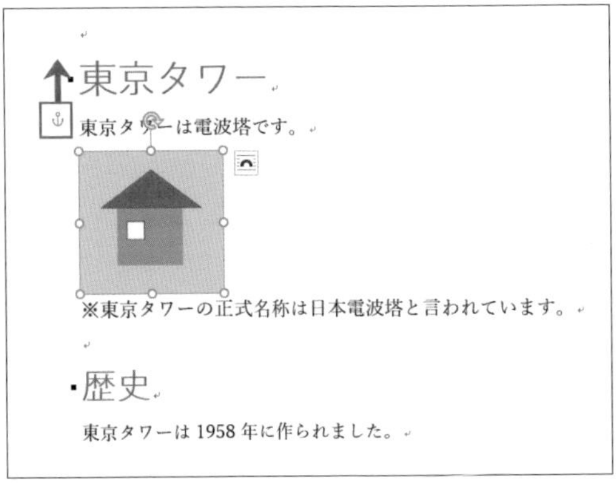
東京タワー
東京タワーは電波塔です。
※東京タワーの正式名称は日本電波塔と言われています。
歴史
東京タワーは 1958 年に作られました。

4

画像をクリックすると、左上に「アンカー記号」が表示されます。次に「アンカー記号」を上にドラッグして動かします。

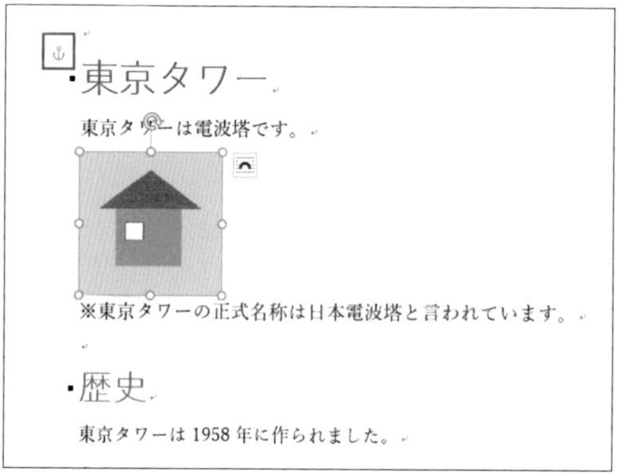
東京タワー
東京タワーは電波塔です。
※東京タワーの正式名称は日本電波塔と言われています。
歴史
東京タワーは 1958 年に作られました。

5

画像の「アンカー記号」が見出しの「東京タワー」の上に移動しました。

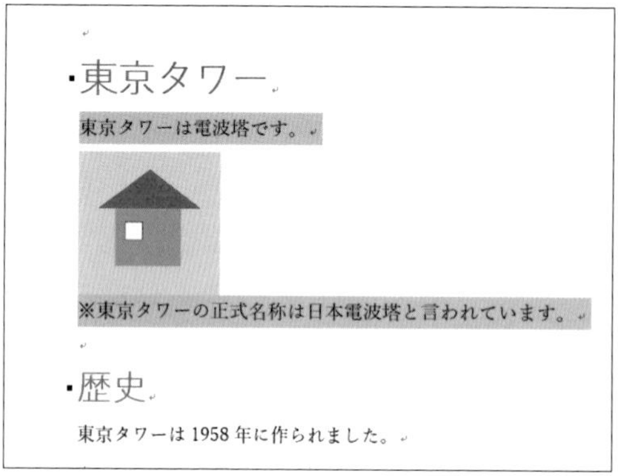
東京タワー
東京タワーは電波塔です。
※東京タワーの正式名称は日本電波塔と言われています。
歴史
東京タワーは 1958 年に作られました。

6

「アンカー記号」、つまり画像自体が「東京タワー」の上にあるので、「東京タワーは電波塔です。」の文章を選択しても画像は選択されません。

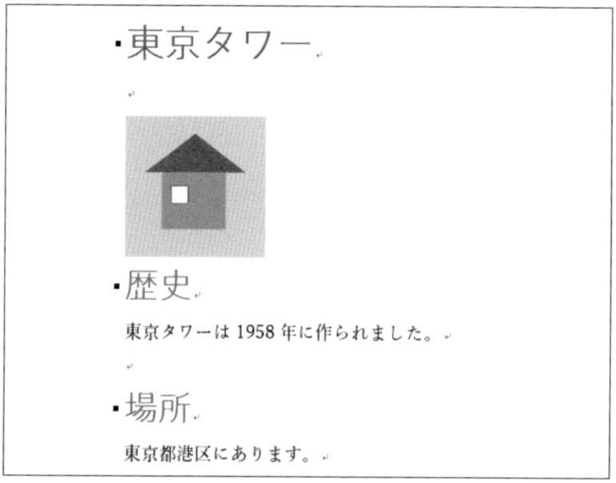
東京タワー
歴史
東京タワーは 1958 年に作られました。
場所
東京都港区にあります。

7

この状態で選択した文字を消しても画像への影響はありません。

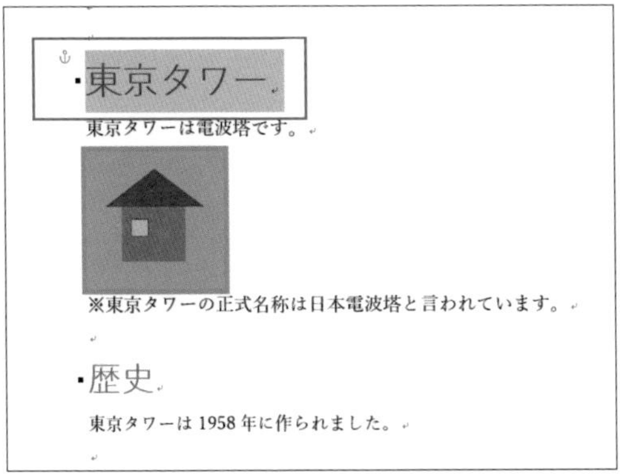
東京タワー
東京タワーは電波塔です。
※東京タワーの正式名称は日本電波塔と言われています。
歴史
東京タワーは 1958 年に作られました。

8

逆に「アンカー記号」がある行を選択すると、たとえ位置が離れていても、画像が選択されます。

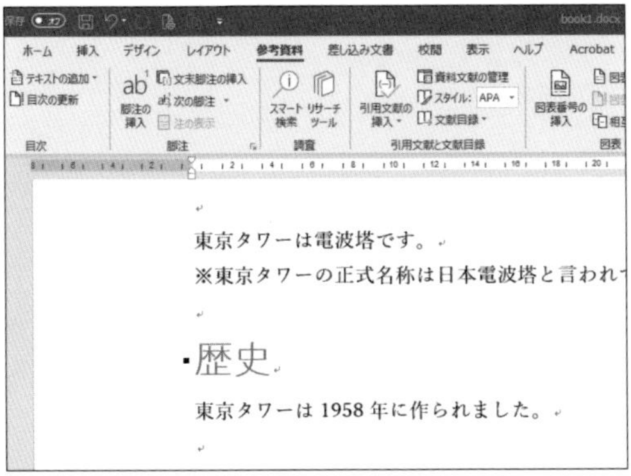
ホーム 挿入 デザイン レイアウト 参考資料 差し込み文書 校閲 表示 ヘルプ Acrobat
東京タワーは電波塔です。
※東京タワーの正式名称は日本電波塔と言われ
歴史
東京タワーは 1958 年に作られました。

9

選択された文字を消去すると、離れた位置にある画像も一緒に消えます。

Point

- ☑ 「Ctrl + Z」、もしくは左上の「元に戻る」ボタンをクリックすることで消してしまった画像や文字を元に戻せる
- ☑ 「アンカー記号」がある位置が、画像が配置されている位置
- ☑ 画像を動かすと「アンカー記号」がついてきてしまうため、毎回「アンカー記号」を設定する必要がある

表の作成

▶ Wordでも表は作れる

Wordは文書作成ソフトですが、簡単な領収書や請求書、表や囲み枠などを使った「**表**」を作成することもできます。基本的な作り方をマスターすれば、さまざまな局面でフレキシブルに活用できます。それでは表を作ってみましょう。

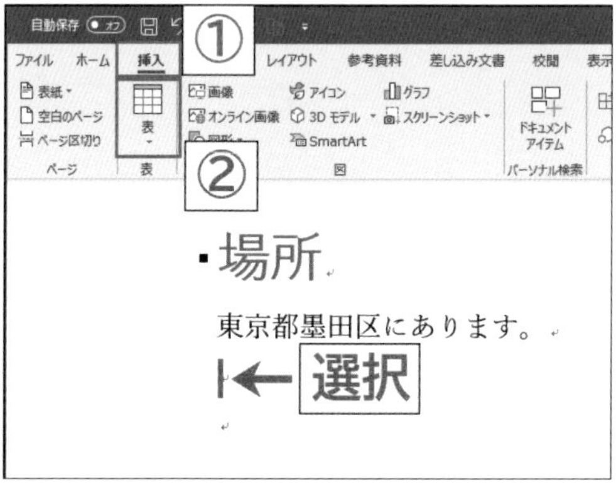

1

最初に「**表**」の骨組みを作ってみます。メニューバー「**挿入**」タブの「**表**」をクリック。表示されたマス上で、ポインターを移動します。

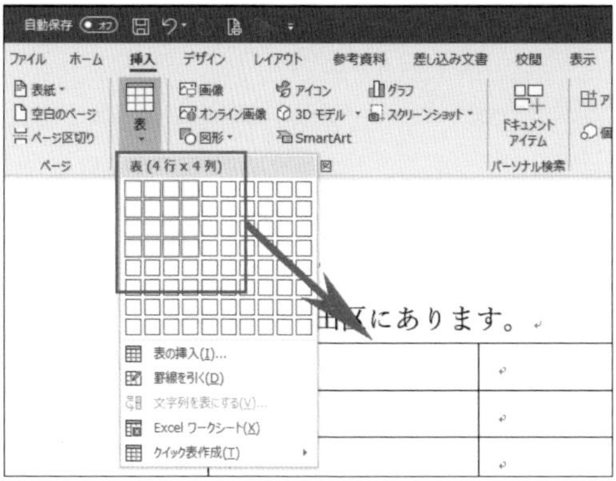

2

今回は4行4列の表を作るので、マス上で「4行×4列」を選びます。クリックすると「表」が作成されます。

3

Excelと同じく、表に項目を入力しましょう。

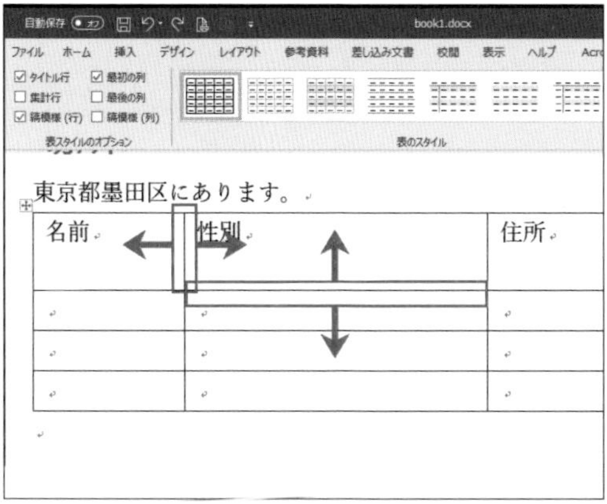

4

文字を入れるスペースに余裕を持たせたいときは、「**セル**」の縦幅を拡げます。セルの下枠をドラッグすると長さが変わります。また、セルの左枠をドラッグすると横幅が変更できます。

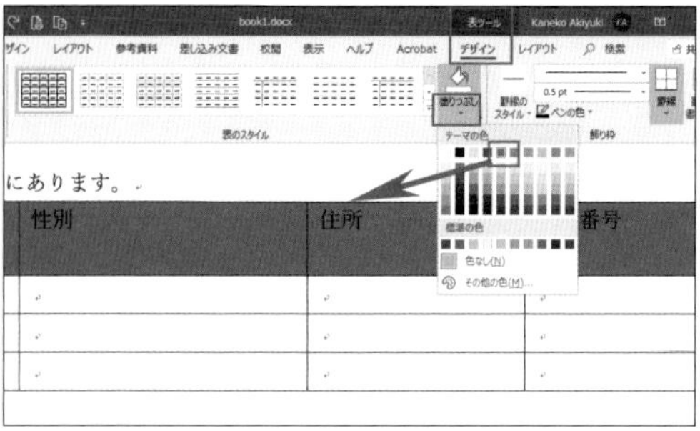

5

項目の背景に色をつけてみましょう。項目をすべて選択し、「**デザイン**」タブの「**塗りつぶし**」から色を選択します。

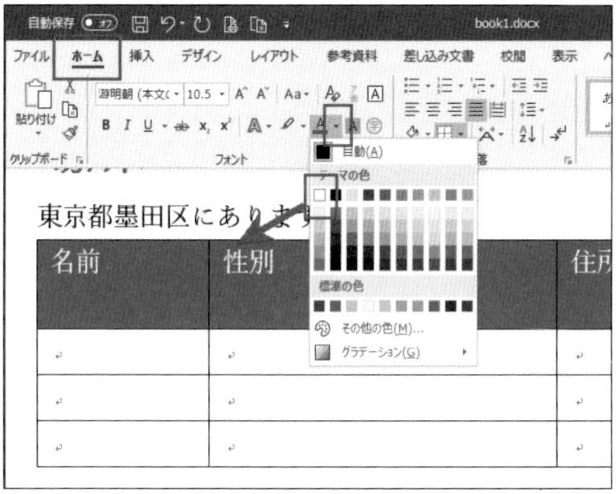

6

文字の色も変更しましょう。濃い背景色を設定したので、「**ホーム**」タブの「**文字の色**」から白色を選択します。

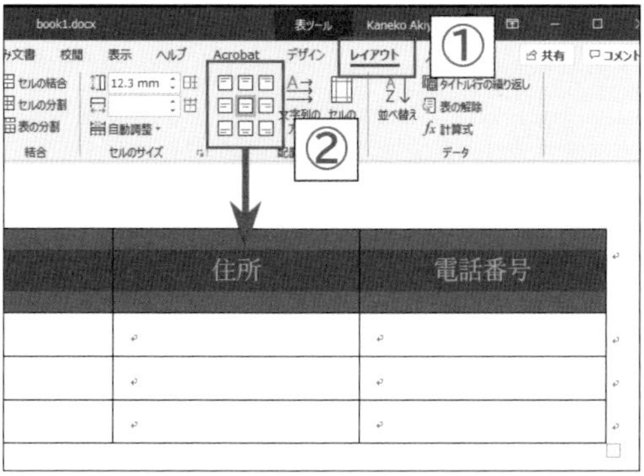

7

文字の位置を変更したい場合は、①の「**レイアウト**」タブにある②の「**文字の位置**」ボタンをクリックします。ボタンによって文字の位置が変化します。

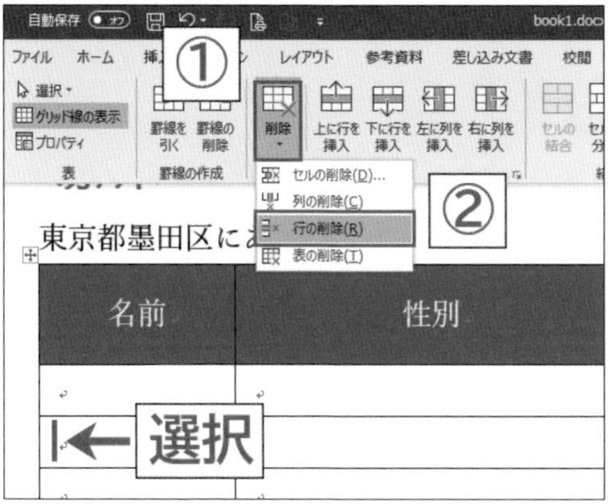

8

必要のない「**行**」を削除する場合は、消したい「行」をクリックしてから「**表ツール**」の「**レイアウト**」タブから①「**削除**」をクリックし、②の「**行の削除**」を選びます。

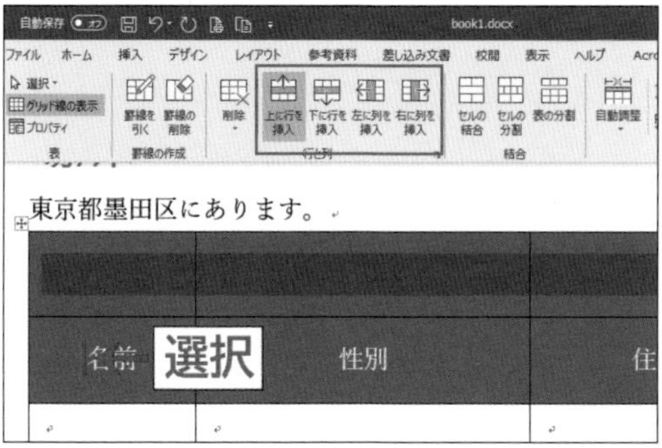

9

反対に「列」や「**行**」を追加する場合は、同じ手順で「**表ツール**」の「**レイアウト**」タブから「**挿入**」をクリックします。

Point

- **表の縦の並びは「列」、横の並びは「行」と呼び、マスは「セル」と呼ぶ**
- **メニューバーが元の画面に戻ったら、もう一度、表をクリックし、「表ツール」を出せばよい**
- **Word の表でも、Excel の表と同様に背景色や文字色の変更ができる**

表のセルの結合

▶ 表を結合する

「**セルの結合**」の機能では複数のセルをひとつにまとめることができます。「**セルの分割**」で作った小さなセルを元の状態に戻したり、分割を一部分だけ消したりすることで複雑な分割が簡単にできるようになります。「**結合**」と「**分割**」を組み合わせると、自分の好きな表を自由に作れるようになるのです。

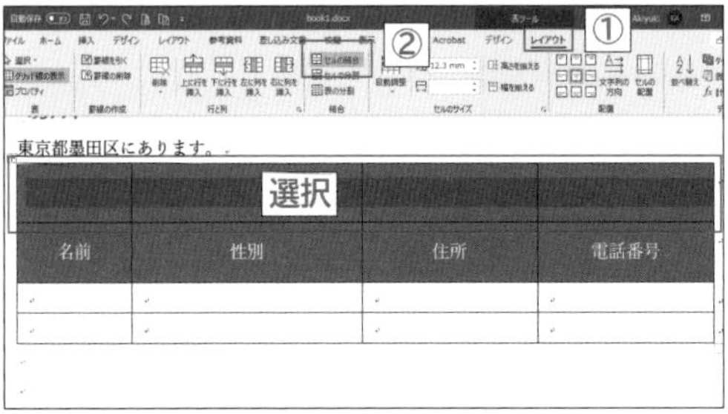

1

結合したいセルを選択します。次に「**表ツール**」の①にある「**レイアウト**」タブをクリックし、②の「**セルの結合**」をクリックします。

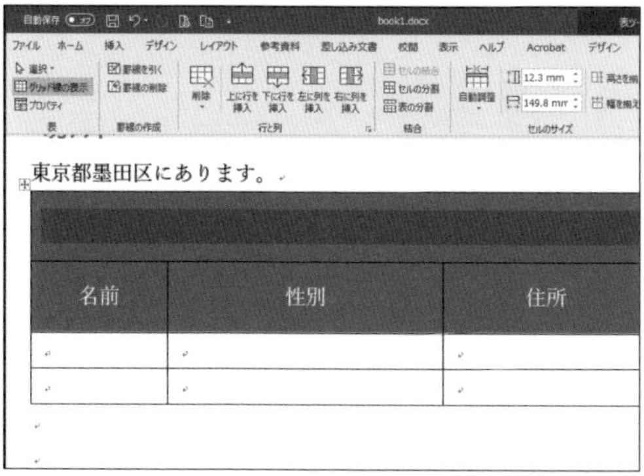

2

分割されていたセルがひとつに結合されました。

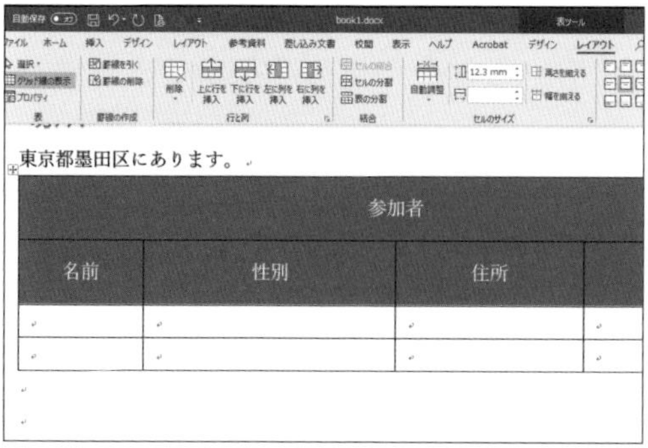

3

文字を入力するとセルの中央に配置されます。「セルの結合」は次項で解説する**「セルの分割」**とあわせて使うと便利です。

Point

- 「セルの結合」は、セル間の罫線を消して、ふたつのセルを合体させるという意味
- 複雑なセルはダイアログボックスの列数や行数を選ぶメニューでも指示できるが、大雑把な形から「結合」を使って消していくほうが簡単にできる
- 「結合」を使うと、セルの中を等分にならない不規則な形に分割することが可能

表のセルの分割

▶ 表を分割する

表を作る場合、セルのひとつだけが分割されているレイアウトが必要になることもあります。こうした不規則な表を作る場合は、「**表ツール**」の「**レイアウト**」から、「**セルの分割**」を選びます。この機能を使いこなせば、いろいろな表を作ることができます。

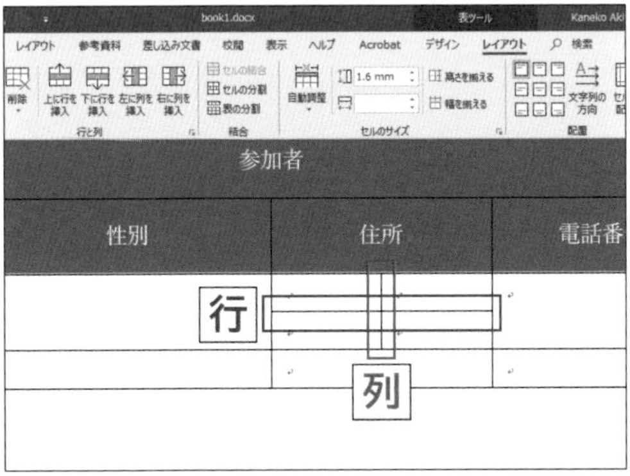

1

左の表にある「2列目、2行目」にあるような、**内部が4つに分割された**セルを作ってみましょう。縦が「**列**」で横が「**行**」です。

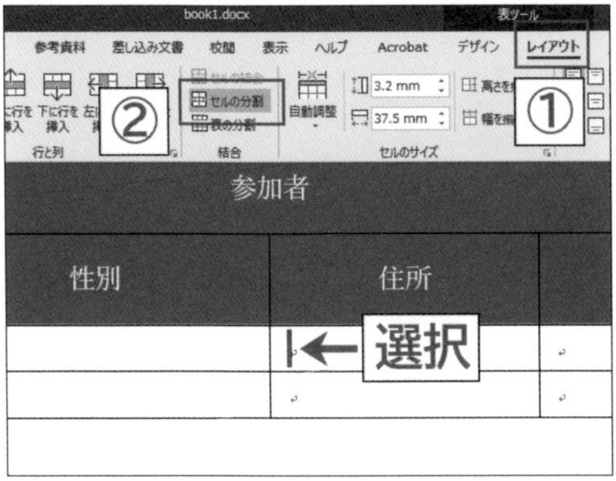

2

メニューバー「**表ツール**」の①にある「**レイアウト**」タブから、②の「**セルの分割**」を選ぶと、「セルの分割」ダイアログボックスが表示されます。

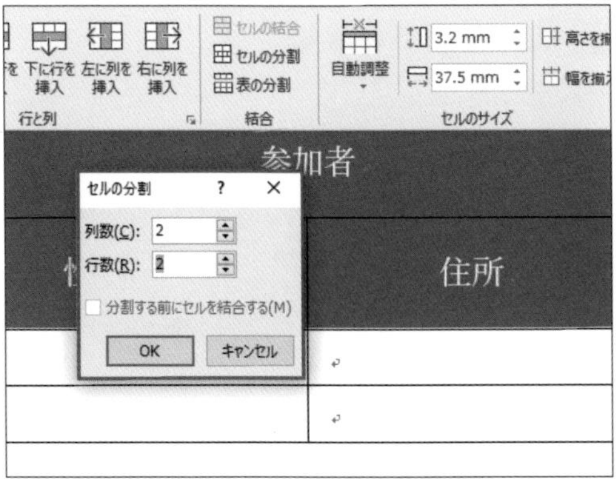

3

ダイアログボックスの「**列数**」の上下ボタンを押して、列数と行数を2に指定してみましょう。

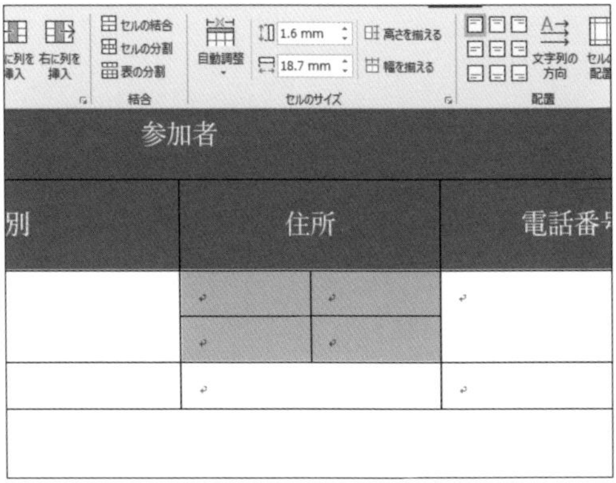

4

「**OK**」をクリックするとセルの中が縦に2分割されます。この分割は前項で解説した「**セルの結合**」で元に戻せます。

編集記号の表示

▶ どの機能を使っているか表示する

スペースを空ける方法には「**Tab**」「**全角スペース**」「**半角スペース**」などがありますが、文章内ではどれを使用してスペースを空けたか判別しにくいです。そのときは、「**編集記号の表示**」ボタンをクリックして、「**編集記号**」を表示しましょう。

ポイントとなる編集記号は主に3つです。

・「Tab」…「→」（4文字区切りでスペース）

・「半角スペース」…「・」

・「全角スペース」…「□」

この3つを覚え、文章の構造を確認しながら作業しましょう。

文字を揃える下準備

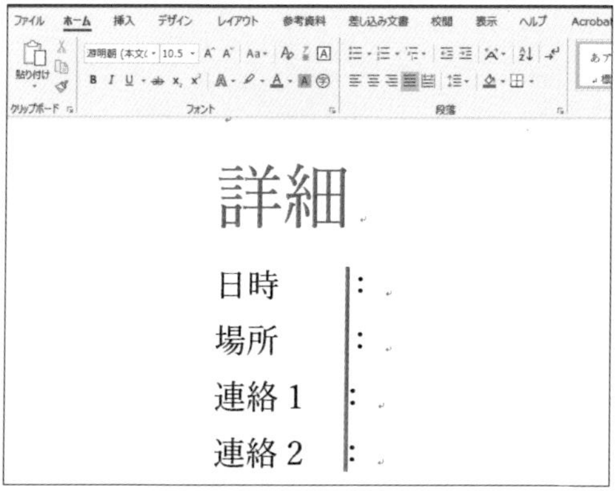

1

文字が揃わないとき、「**編集記号の表示**」が押されていないと、原因がわかりません。

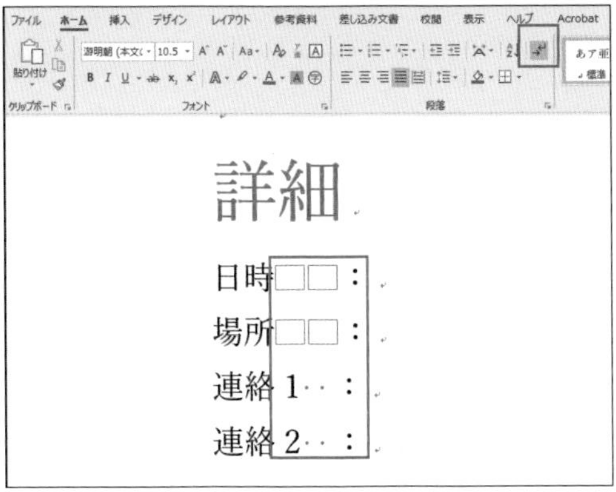

2

「**ホーム**」タブの中央あたりにある「編集記号の表示」を押すと、「**編集記号**」が表示されます。「半角スペース」は「・」、「全角スペース」は「□」が表示されます。

「Tab」で文字を揃える

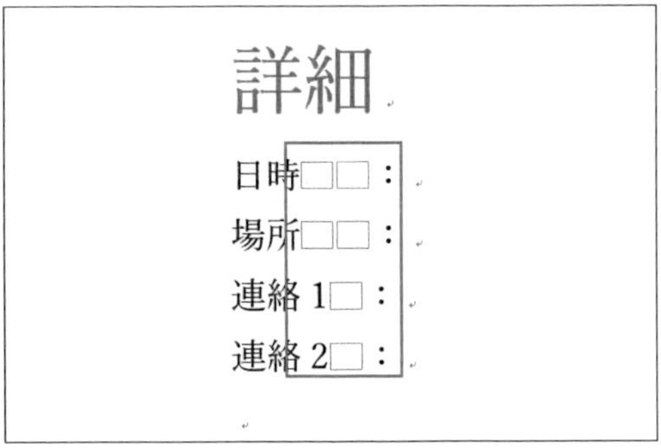

1

「半角スペース」が混在していたので、「全角スペース」に変えてみます。しかし、「全角スペース」に統一しても文字は揃いません。

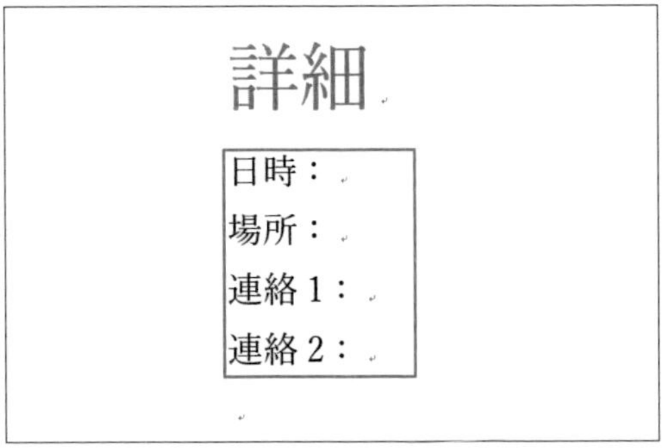

2

一度、スペースがない状態にしてみましょう。

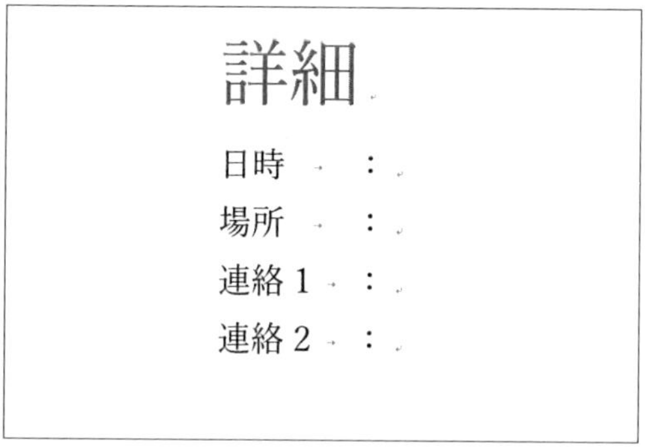

詳細
日時　：
場所　：
連絡 1　：
連絡 2　：

3

「**Tab**」キーを押すと、4文字区切りで文字を揃えることができます。「Tab」なら文字をきれいに揃えることができるのです。

「Tab」の位置を変更する

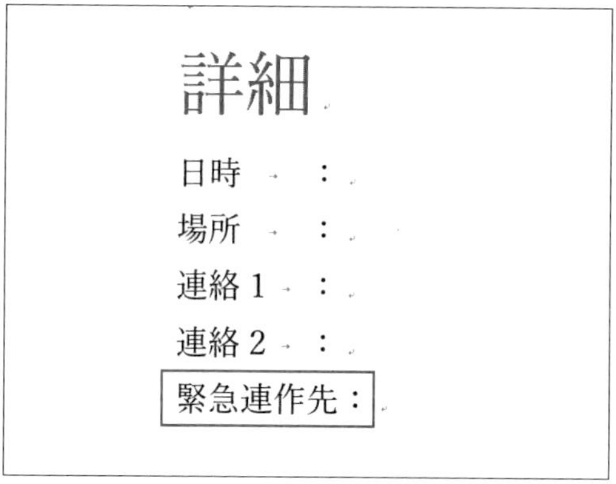

詳細
日時　：
場所　：
連絡 1　：
連絡 2　：
緊急連作先：

1

今度は「緊急連絡先：」という文字列を追加しました。5文字なので、「：」の位置がずれてしまいます。

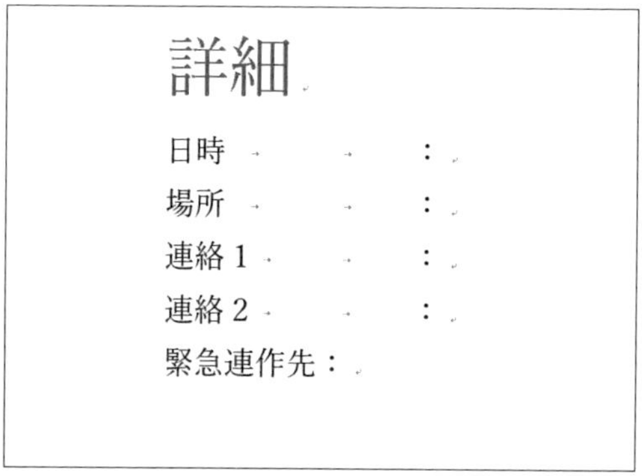

詳細
日時　　：
場所　　：
連絡 1　　：
連絡 2　　：
緊急連作先：

2

「**Tab**」キーで揃えてみます。しかし、「Tab」は4文字区切りなのでうまくいきません。このような場合は、「**ルーラー**」を使用します。

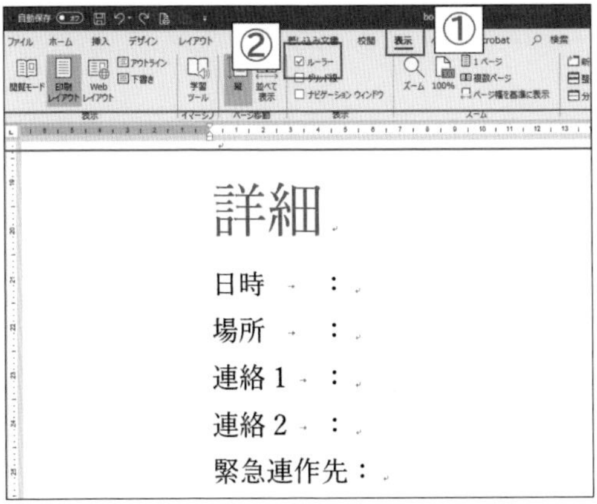

3

①の「**表示**」タブで②の「**ルーラー**」にチェックを入れて、「ルーラー」を表示します。

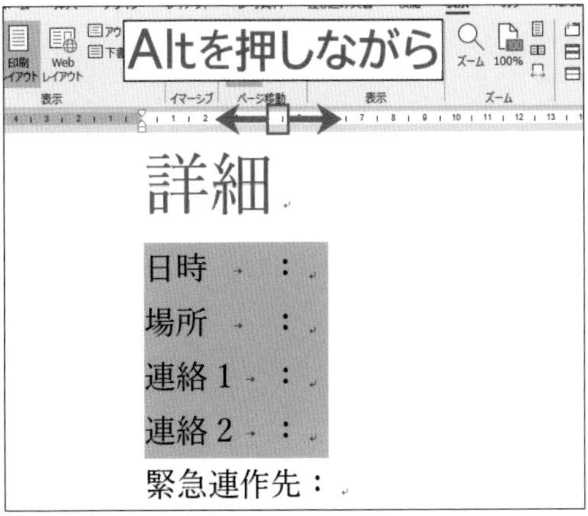

4

「**Alt**」キーを押しながら、表示された「ルーラー」の数字が書かれた部分をドラッグすると、「Tab」の位置を指定できます。

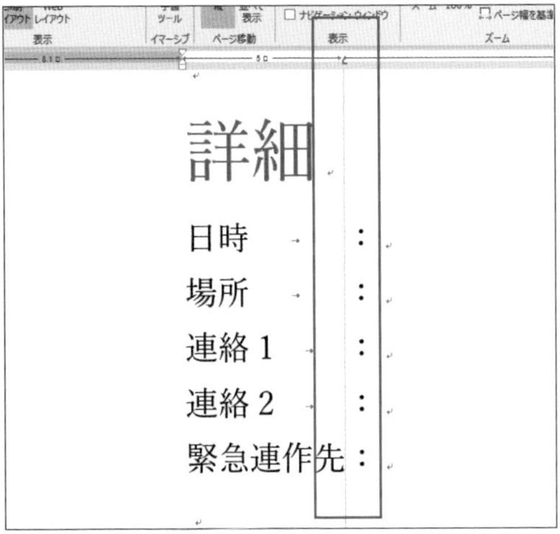

5

すべての「：」の位置が揃い、きれいな文書になりました。

図形の作成

▶ 文書に図形を挿入する

Wordでは、「**図形**」を自由に作成することができます。図形の作成方法はすべて同じなので、ひとつ作り方を覚えれば、それを応用してさまざまな図形を作ることが可能です。図形に文字を入力することもできるので、ぜひ覚えておきましょう。

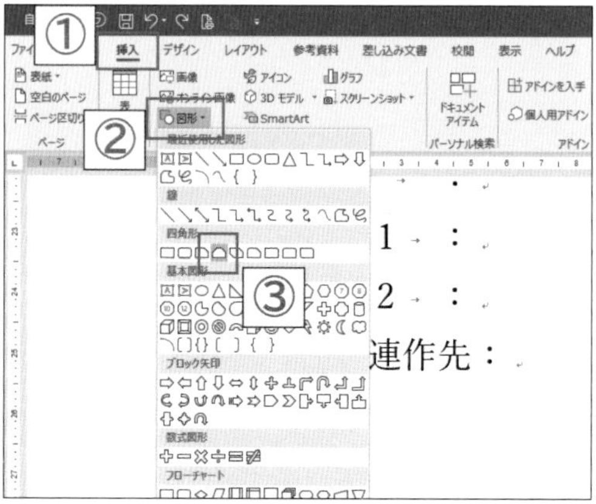

1

①の「**挿入**」タブから②の「**図形**」をクリックし、ウィンドウの中から図形を選択します。今回は③の図形を挿入してみましょう。

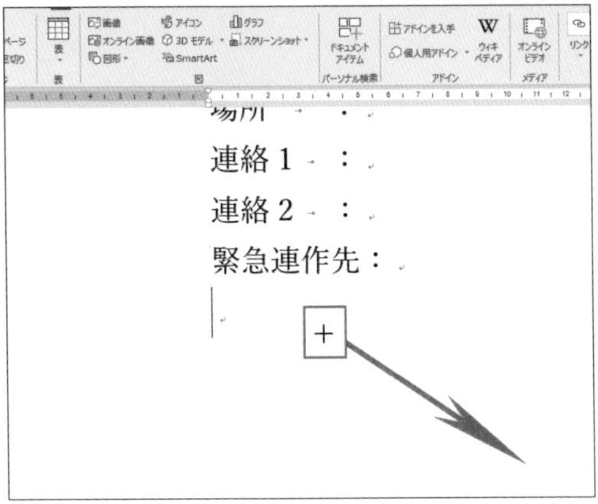

2

カーソルが「**+**」マークに変わるので、右下方向にドラッグします。

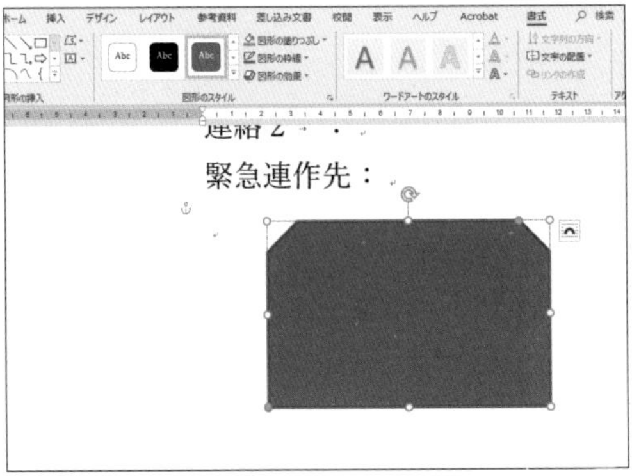

3

ドラッグした範囲内に図形が作成できました。使い方は「**テキストボックス**」とほぼ同様です。

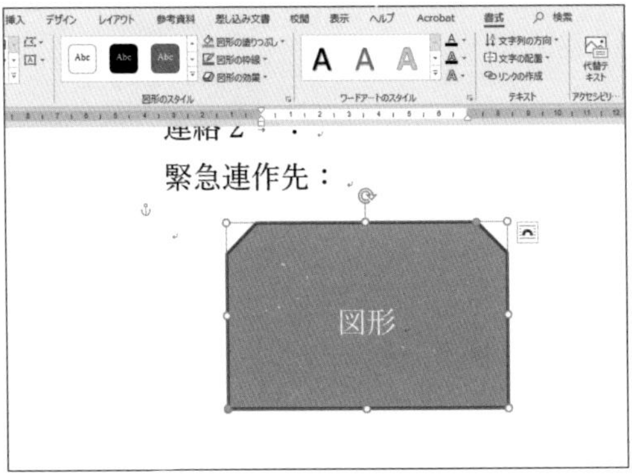

4

カーソルは表示されませんが、キーボードでそのまま文章を打ち込めば文字を入力することができます。

文字の下の赤い波線について

▶ 間違いを指摘する機能

文書を作成していると、文章の中に、間違いや意味が通らない表記をしてしまうことがあります。すると、Wordが問題箇所の文字の下に「**赤い波線**」を引いて指摘してくれます。便利な機能ですが、気になる場合は、この赤い波線を消すこともできます。

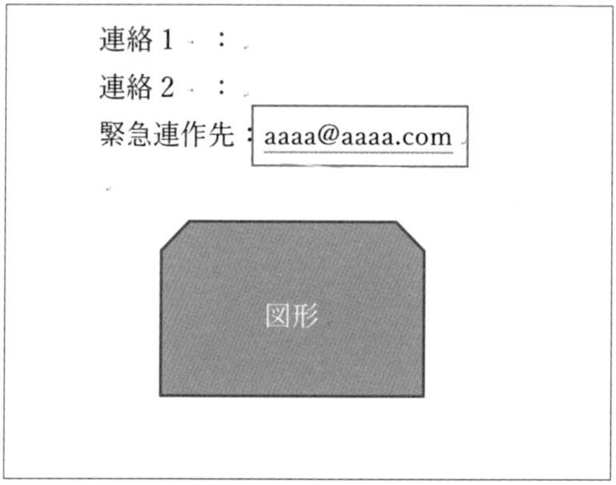

1

文字の入力中、スペルの間違った単語などが含まれていると、その文字の下に「**赤い波線**」が引かれてしまいます。

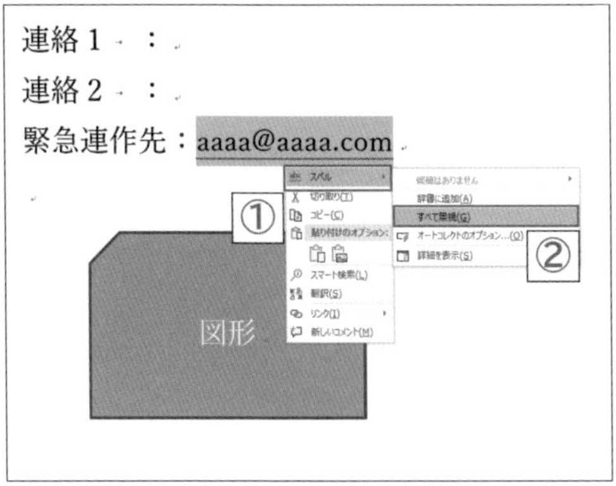

2

選択して右クリックするとメニューが表示されます。①の「**スペル**」をクリックし、②の「**すべて無視**」を選択すると、赤い波線を消すことができます。

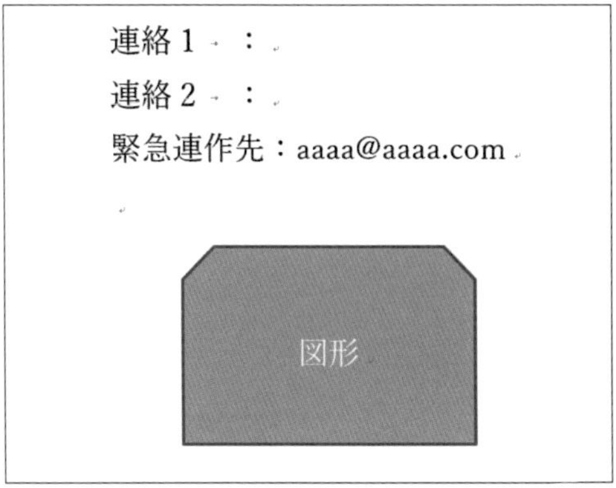

3

赤い波線が消えました。

Point

- **文字入力の最中に現れる「赤い波線」は、「Word」が誤記や間違った用法の修正を促す、本来はとても便利な機能**
- **この機能は、仮に入れた文や表現、造語にも反応して、「赤い波線」を表示する**

コピペで改行させないテクニック

▶ コピペ作業の効率を上げる

文書を作成する場合、同じ行や文字を繰り返す「**コピー&ペースト（コピペ）**」の作業をすることがあります。しかし、複製するたびに行や文字が改行されてしまい、ひとつの文章にすることができません。このような問題を解決するため、コピペ時に改行させないテクニックを覚えておきましょう。

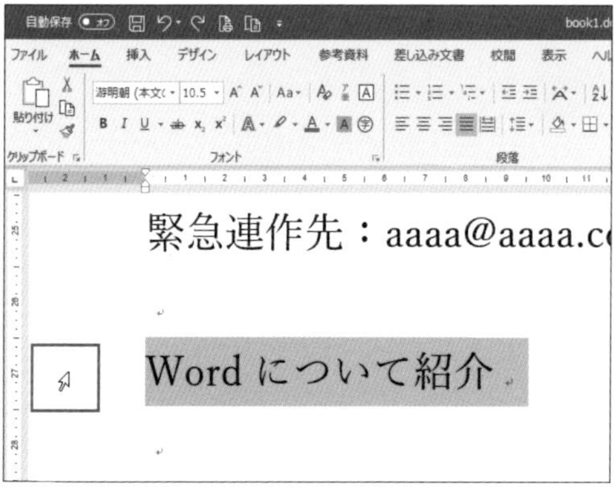

1

「Wordについて紹介」の文字列を複製し貼り付けする「**コピペ**」を行っていきます。行の左側の余白をクリックすると、**行全体**を選択できます。

2

「Wordについて紹介」が選択できたら、「**Ctrl**」キーと「**C**」キーを同時に押して、この行を**コピー**します。

3

「Wordについて紹介」の後ろをクリックして、「**Ctrl**」キーと「**V**」キーを押し、貼り付けます。これらの作業が「**コピペ**」です。

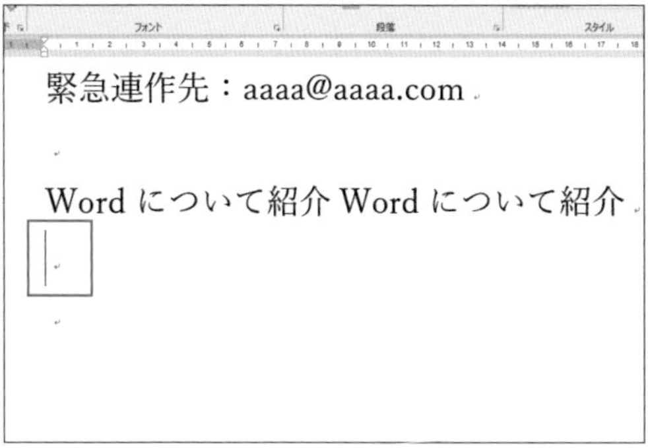

4

行が複製できましたが、行末の「**改行**」マークもコピーされてしまうので、複製のたびにカーソルが「改行」されてしまいます。

5

行最後の「**改行**」マーク1文字をコピー範囲から解除するには、行全体を選択したあとで、「**Shift + ←**」を押します。

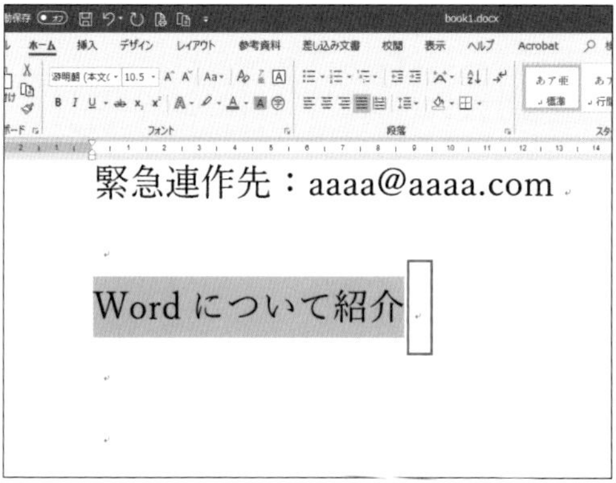

6

この操作によって、「**改行**」マーク1文字だけを、**コピーする範囲**から省くことができるのです。

7

「**Shift + ←**」、あるいは「**Shift + →**」で、選択範囲を好きなように変更することができます。

8

「**改行**」マークをコピー範囲から外し、「**Ctrl+C**」でコピーします。これで文字だけを複製することができました。

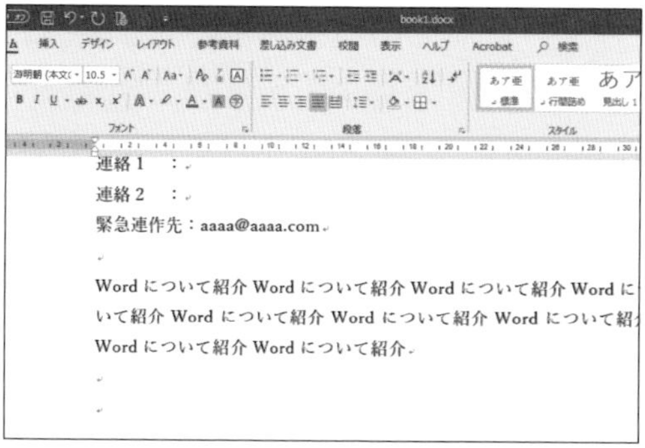

9

「**Ctrl+V**」を連続して押しても、「Wordについて紹介」という文章が、改行されることなく、続けて貼り付けができました。

Point

- ☑ 「Ctrl+C」で「コピー」、「Ctrl+V」で「ペースト」ができる
- ☑ 「コピペ」は、複製「コピー」＋貼り付け「ペースト」の略
- ☑ 改行マークを除いてコピーすれば作業効率が上がる
- ☑ 「Shift+→」「Shift+←」で文字の選択範囲を変えられる

両端揃え、左揃えの違い

▶ 両者の違いをしっかり理解する

初級編では、文字の揃え方を4種類紹介しました。その中でも「**両端揃え**」と「**左揃え**」はどちらも文章が左に移動するため、違いがわかりにくいです。「両端揃え」は、文章の左右がしっかりと揃います。対する「左揃え」は文章の右側がずれてしまいます。Wordでは、基本的に「両端揃え」を使用しますが、「左揃え」ではどのような変化が起きるか理解しておきましょう。

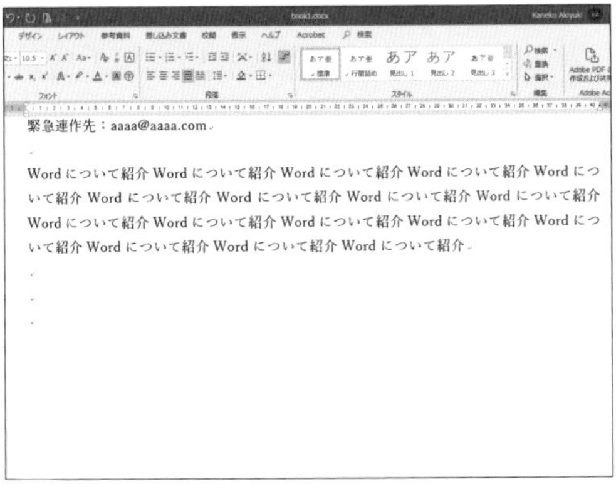

1

文章を入力した状態です。この状態から「両端揃え」と「左揃え」の違いを見ていきましょう。

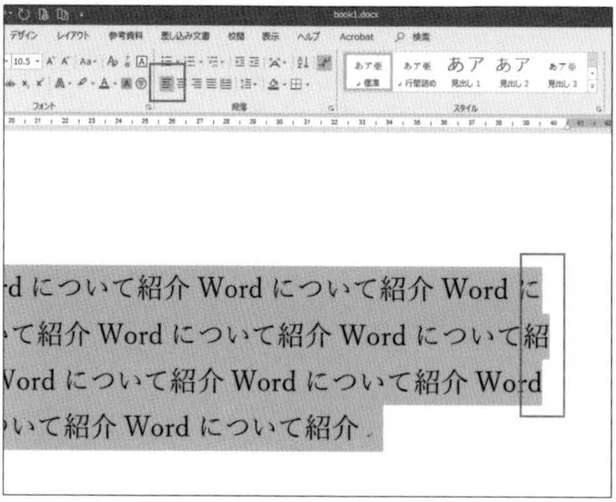

2

メニューバー「**ホーム**」タブの「段落」にある「**左揃え**」をクリックしてみましょう。文章の右側がずれているのがわかります。

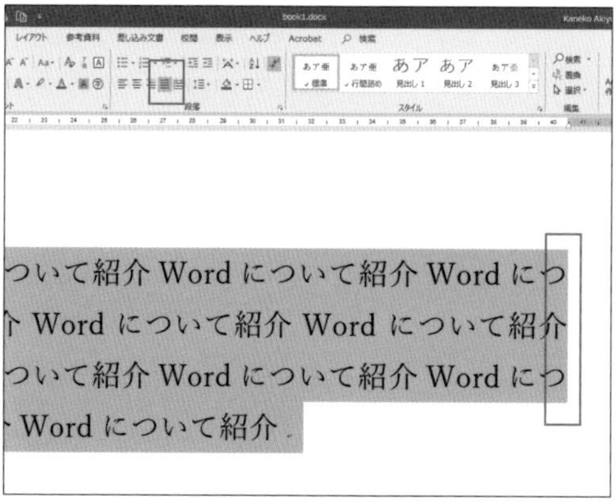

3

一方、「**両端揃え**」では、文章の右側も揃っています。文章をきれいに揃えたい場合は「両端揃え」を使用しましょう。

Point

- ☑ 「左揃え」は文章の右側がずれる
- ☑ Word では基本的に「両端揃え」を使用する
- ☑ 初期状態では「両端揃え」が設定されている
- ☑ 「書式のクリア」を行うと「両端揃え」になる

PDFファイルの作成

▶ PDFファイルに変換する

PDFは「**電子文書**」と呼ばれており、どのような環境でも作成時と同じ状態の文書を見られるのが特徴です。相手が「Word」のソフトを持っていなければ、完成した「**Wordファイル**」を相手に送っても、見ることができません。またWordのバージョンが違うとデータが壊れたりもします。しかし、「**PDF**」ファイルに変換すれば、相手に「Word」がなくても開くことができるのです。

1

左の画像がPDFをアプリで開いた状態です。「Word」を持っていなくても、作成時と同じ状態の文書を見ることができます。

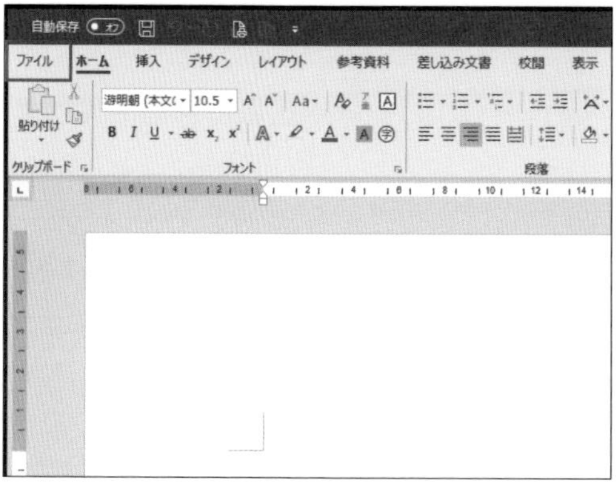

2

メニューバーの「**ファイル**」タブをクリックし、ウィンドウを表示します。

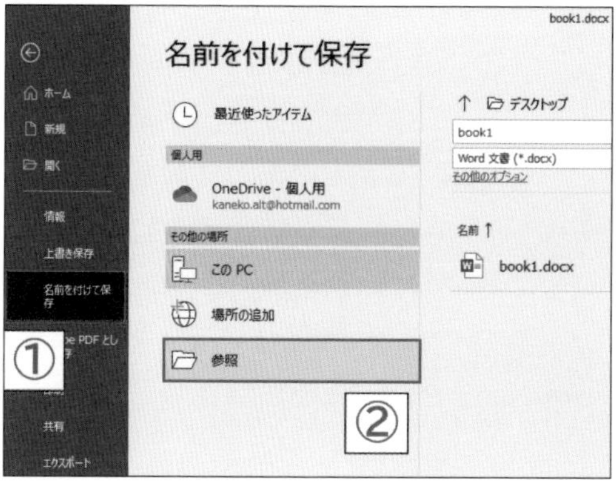

3

「**名前を付けて保存**」をクリックし、参照をクリックしましょう。

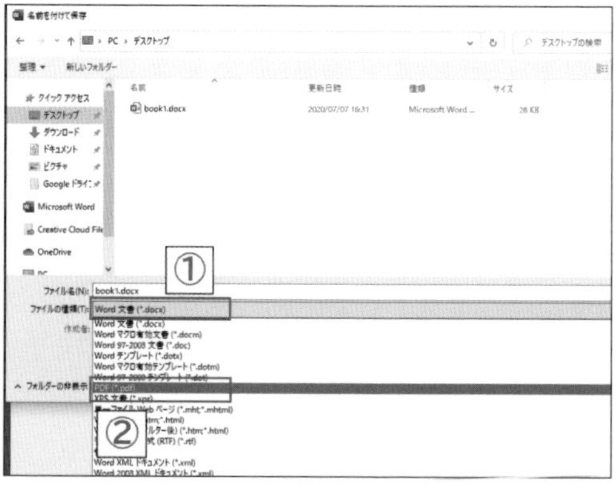

4

「**ファイルの種類**」をクリックするとメニュー画面が出ます。その中にある保存形式の「**PDF**」を選択します。

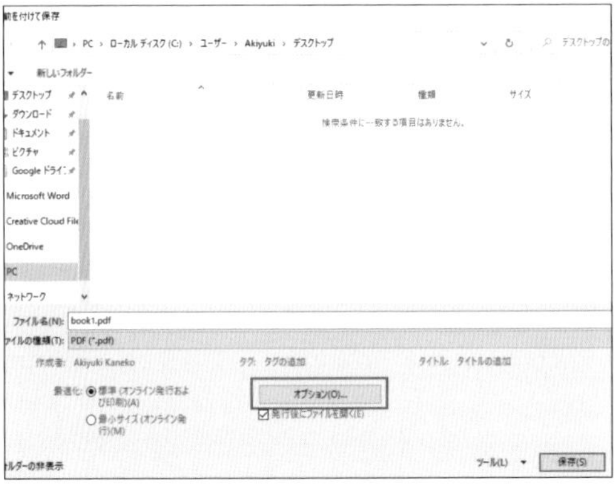

5

「**見出し**」機能を使っている場合は、「名前を付けて保存」ウィンドウのオプションから「**しおり**」の機能が追加できます。

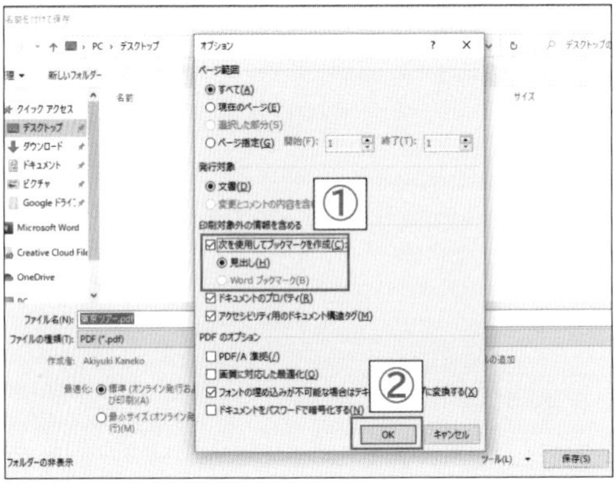

6

オプションのメニューの中に①の「**次を使用してブックマークを作成**」があるので、チェックしてみましょう。次に②の「OK」をクリックします。

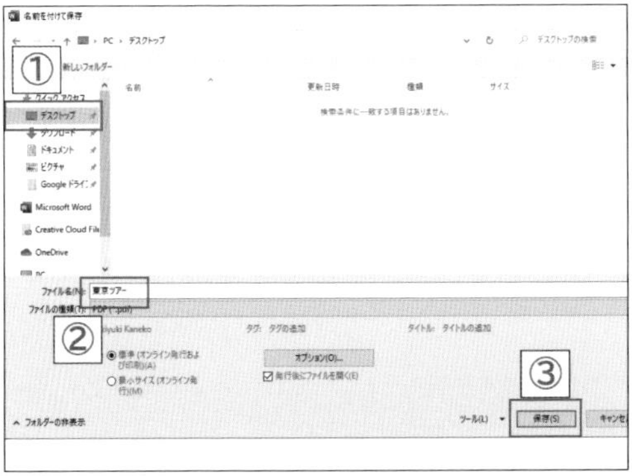

7

①で保存場所を選び、②に保存するファイル名を入力します。最後に③の「**保存**」をクリックすると、PDFが作成されます。

PDFファイルを開く

1

①の「**PDFファイル**」はWindows 10なら標準で入っている②の「**Microsoft Edge**」で開くことができます。③でPDFを開くアプリを固定可能です。

2

PDFに変換しても文書の内容がしっかり表示されています。

3

オプションで設定したブックマークは「**Adobe Reader**」を使用してPDFを開くと「**しおり**」として目次代わりに表示されるので、必ず設定しておきましょう。

ドライバとは?

「ドライバ」とは、デバイスをパソコンで使用するために必要なソフトです。「デバイスドライバ」とも呼ばれ、周辺機器を使うときに使用されることが多いです。なぜなら、周辺機器はドライバがないと動かないからです。では、なぜドライバがないと周辺機器は動かないのでしょうか。パソコンにとってドライバは周辺機器の説明書のようなものです。普通、新しい機械を買った際は、説明書を見ながら操作方法を確認するものですが、パソコンも同様です。ドライバを使えるようにすることで、パソコンは周辺機器の操作方法を覚えるのです。キーボードやマウスなど、繋ぐとすぐに使える機器もありますが、これはパソコンが最初から使い方を知っているからです。対して機器ごとにさまざまな機能があるプリンターやWi-Fi機器などは、その都度ドライバで使い方を教えてあげる必要があるのです。また、キーボードやマウスであっても高性能な機器の場合は、機能をすべて使う際にドライバが必要になることもあります。基本的にパソコンで新しい周辺機器を使う際にはドライバをセットで入れなければならないのです。そのため、周辺機器にはドライバを入れたCDなどが付属している場合が多く、付属していない場合もその周辺機器の公式ホームページなどから入手することが可能となっています。今後は周辺機器が動かない場合、ドライバを入れたかどうかを確認してみるといいでしょう。

ドライバが必要となる周辺機器

- マザーボード
- グラフィックボード
- サウンドボード
- プリンター
- Wi-Fi 機器（ネットワークインターフェイス）
- 高性能なマウスやキーボード

…etc.

5章　重いパソコンを快適にするコツ

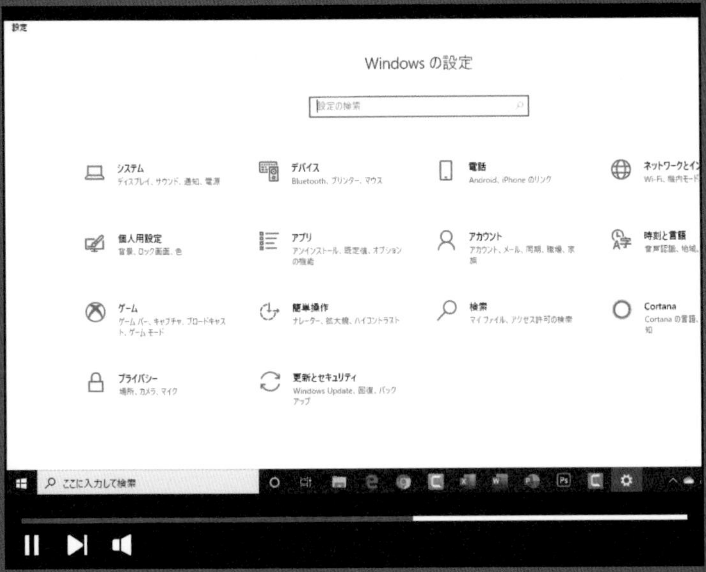

パソコンの動作が遅いと思っても、すぐに高性能なパソコンに買い替えるのは難しいでしょう。本章で紹介するコツをつかめば、今すぐにパソコンの動作を快適にすることができます。ぜひ、試してみましょう。

動画でまとめて学ぶ

https://pasonyu.com/book774

Windows Updateの使用

▶ パソコンを最新の状態にする

「**Windows Update**」とは、パソコンの状態を診断してWindows を自動的に更新し、システムを最新の状態に保つための**オンラインサポート機能**です。パソコンを購入した際や毎月1度の更新で行われますが、もし更新がされていないと、パソコンの動作が遅くなってしまう場合もあります。基本的には自動で更新されるものですが、パソコンの動作が遅い場合は確認しておきましょう。

1

①の「**Windows**」ボタンをクリックして**メインメニュー**を開き、②の「**設定**」をクリックします。

2

出てきた「**Windowsの設定**」ウィンドウの項目の中から「**更新とセキュリティ**」を選び、クリックします。

3

Windows Updateの項目になるので、「**更新プログラムのチェック**」をクリックし、更新を促す表示が出たら更新を行います。

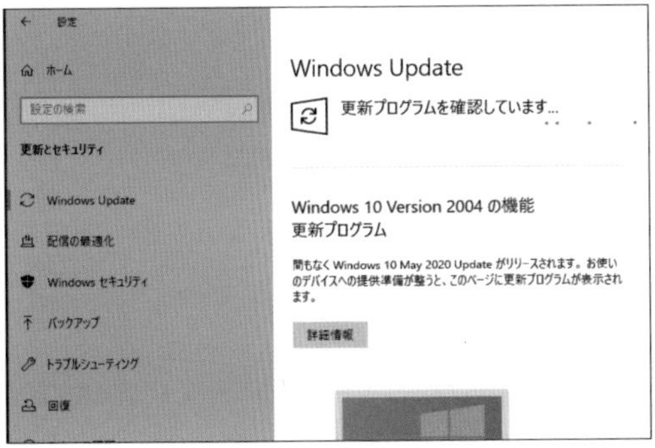

4

更新中はパソコンの動作が遅くなります。更新は、作業の合間などに行うようにしましょう。

バックグラウンド アプリの無効化

▶ 使わないアプリをオフにする

「**バックグラウンド アプリ**」とは、パソコンの起動中に裏で起動しているアプリのことを指します。最初はバックグラウンド アプリが**すべてオン**となっているので、パソコンの動作が遅い場合、不要なバックグラウンド アプリを**オフ**にすることで改善する可能性があります。最初からあるアプリはオフにしても基本的に問題ないので、まとめてオフにしておきましょう。

1

①の「**Windows**」ボタンをクリックして**メインメニュー**を開き、②の「**設定**」をクリックします。

2

出てきた「**Windows の設定**」ウィンドウの項目の中から「**プライバシー**」を選び、クリックします。

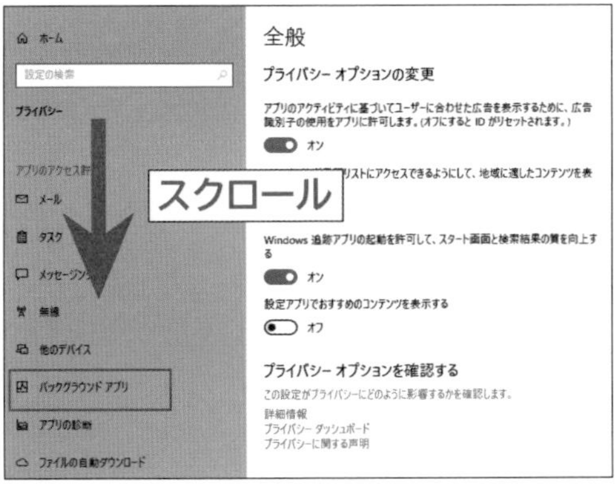

3

ウィンドウの左側を下にスクロールしていくと「**バックグラウンド アプリ**」という項目が出てくるので、クリックします。

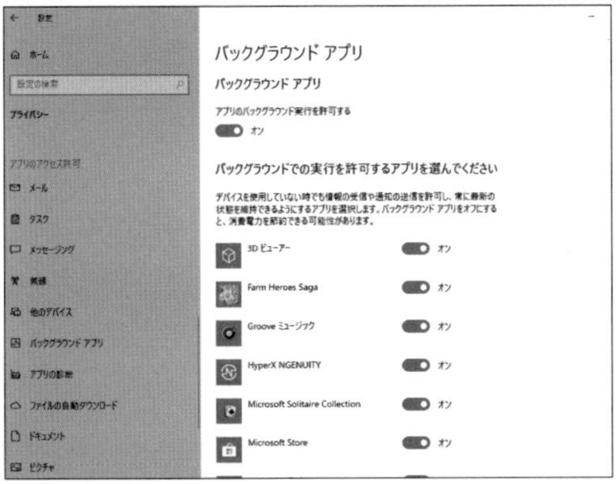

4

「**バックグラウンド アプリ**」のウィンドウに変わり、すべてのアプリが**オン**になっていることがわかります。

5

アプリの名前の右側にある**スイッチ**をクリックすると、オンとオフを切り替えられるので、使わないアプリは**オフ**にしていきます。

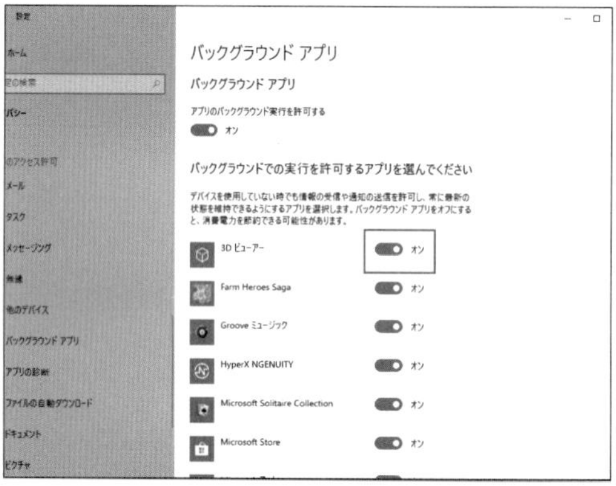

6

万が一、必要なアプリをオフにしてしまった場合でも、もう一度スイッチをクリックすれば、オンに戻すことができます。

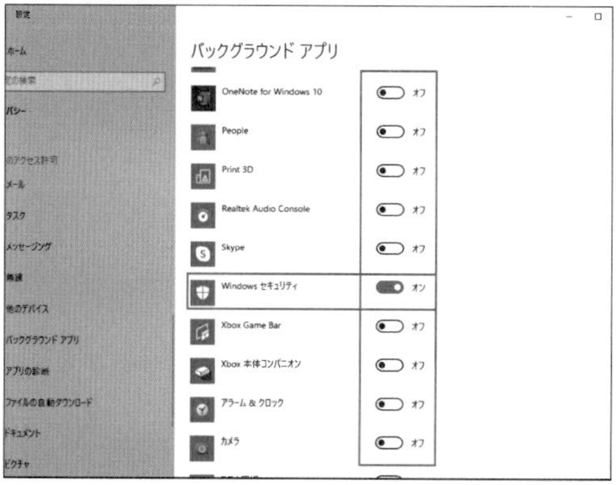

7

セキュリティソフトを別に入れていない場合は、「**Windows セキュリティ**」の項目のみオンにしておきます。それ以外は**すべてオフ**にしても問題ありません。

8

別のセキュリティソフトを入れている場合、最初から入っているアプリは基本的にオフにしても大丈夫なので、「**アプリのバックグラウンド実行を許可する**」の下にあるボタンで**まとめてオフ**にしましょう。

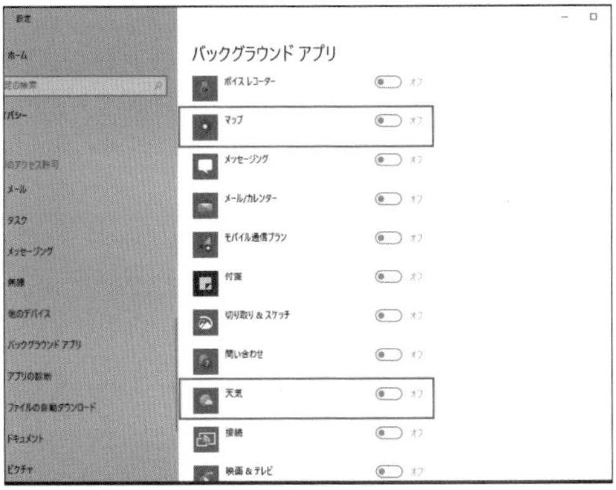

9

初期アプリに「**マップ**」や「**天気**」がありますが、これをオフにしても「**Google マップ**」や「**Yahoo!天気**」などにはまったく影響がありません。

Point

- ☑ **パソコンの裏でアプリが起動しており、動作が遅くなる**
- ☑ **バックグラウンド アプリは個別にオフにできる**
- ☑ **最初から入っているアプリはオフにしても問題ない**
- ☑ **「マップ」や「天気」は「Google マップ」や「Yahoo! 天気」などとは関係ない**

透明効果をオフにする

▶ きれいな見た目には負荷がかかっている

Windows 10は背景が見えるように**スタートメニュー**や**タスクバー**などが**半透明**となっています。この機能を「**透明効果**」といいますが、「透明効果」はパソコンにとってかなり負荷がかかりますので、パソコンの動作が遅い場合は透明効果を**オフ**にしておきましょう。オフにするとスタートメニューやタスクバーが塗りつぶされ、背景が透けなくなります。

1

「**Windows**」ボタンをクリックして**メインメニュー**を開き、「**設定**」をクリックします。さらに、出てきた「**Windowsの設定**」ウィンドウの項目の中から「**個人用設定**」を選び、クリックします。

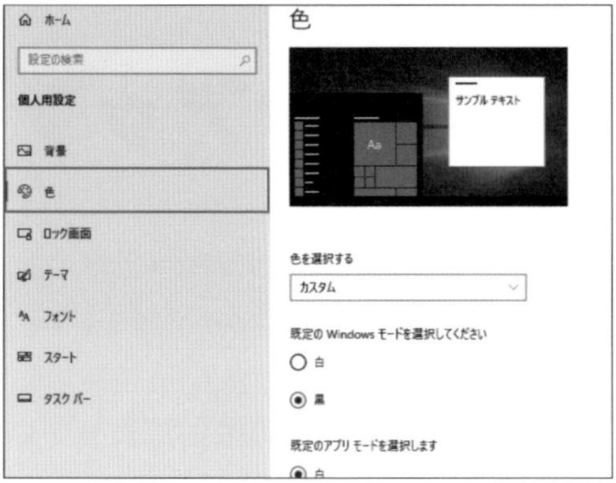

2

「**色**」という項目をクリックします。

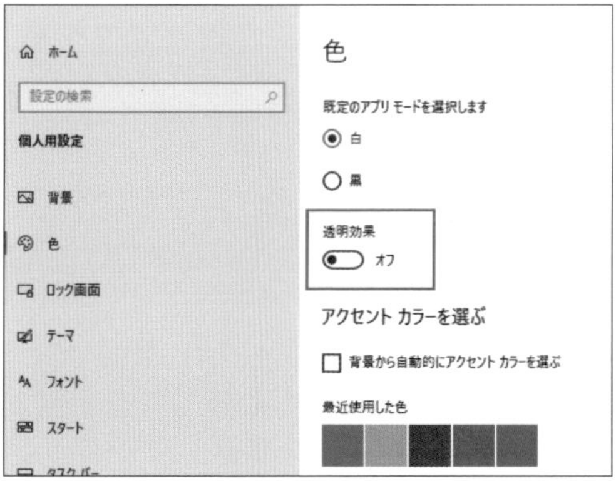

3

「**透明効果**」と表記されている下のスイッチをクリックすると「透明効果」が**オフ**になります。

4

スタートメニューや**タスクバー**が塗りつぶされ、背景が透けなくなります。

ディスクのクリーンアップ

▶ 不要なファイルを削除する

「**ディスクのクリーンアップ**」とは、パソコンの中に溜まっている不要なファイルを削除する機能です。パソコンを起動していると「**一時Windowsインストールファイル**」や「**インターネット一時ファイル**」などの不要なファイルが徐々に溜まってきます。「ディスクのクリーンアップ」を定期的に行い、ドライブの中をきれいにしましょう。

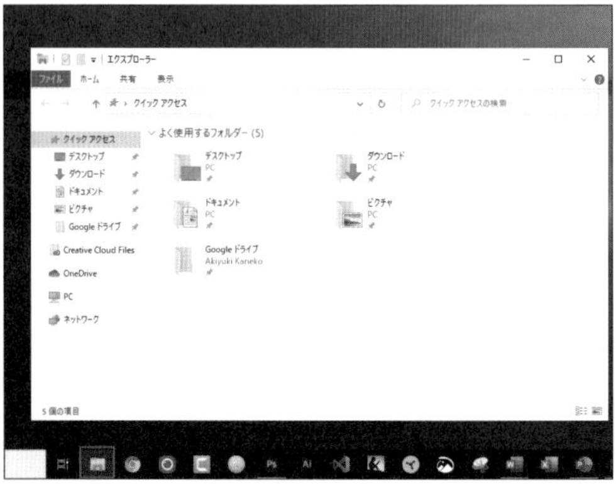

1

「**フォルダ**」マークをクリックして「**エクスプローラー**」**ウィンドウ**を開きます。

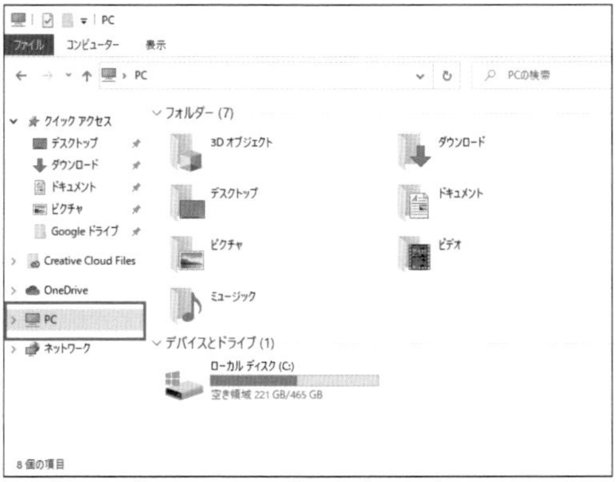

2

左側を下にスクロールして「**PC**」という項目をクリックします。

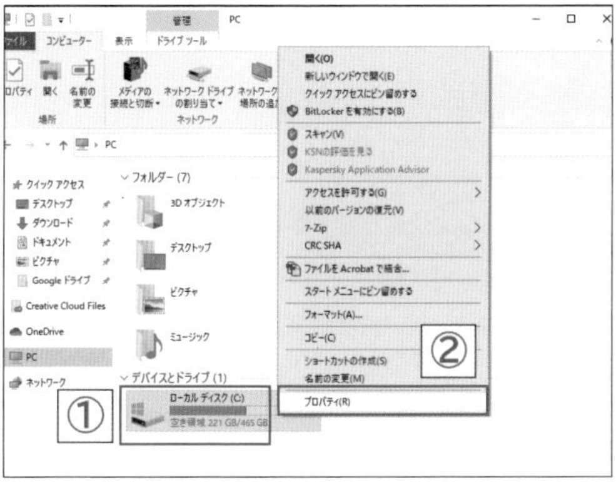

3

「**デバイスとドライブ**」から①の「**ローカル ディスク（C：）**」というアイコンを**右クリック**し、②の「**プロパティ**」をクリックします。

4

「**ローカル ディスク（C：）のプロパティ**」というウィンドウが開いたら、「**ディスクのクリーンアップ**」をクリックします。

5

「**ディスク クリーンアップ -(C：)**」というウィンドウが開きます。「**削除するファイル**」の中から不要なファイルにチェックを入れることでディスクから削除する項目を選ぶことができます。

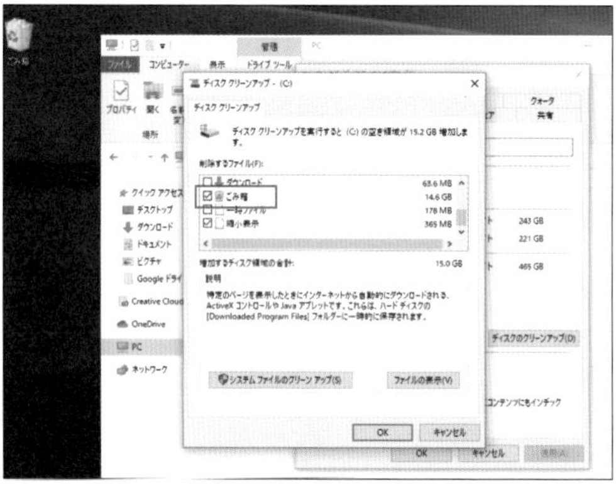

6

「**ゴミ箱**」は削除したファイルが入っているゴミ箱のアイコンのフォルダのことです。完全に削除されるので、万が一削除したくないファイルがあれば、チェックを外しておきましょう。

7

「**ダウンロード**」はインターネットからダウンロードしたファイルなどが入っているフォルダです。「エクスプローラー」からアクセスできるので、完全削除しても大丈夫か確認しておきましょう。

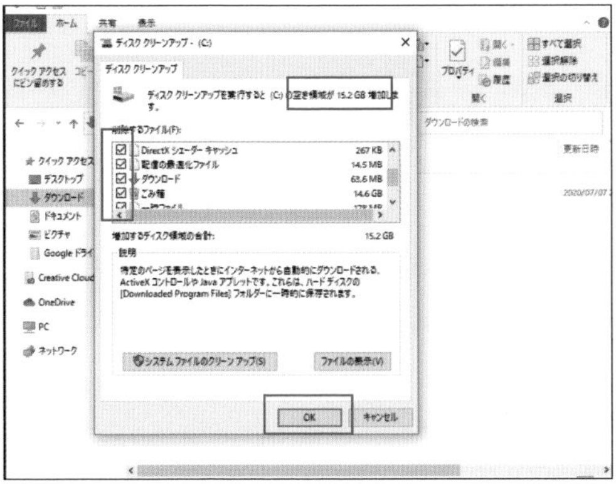

8

チェックを入れていくと、クリーンアップ後に「**増加するディスク領域の合計**」が計算されます。選択が完了したら「OK」をクリックしましょう。

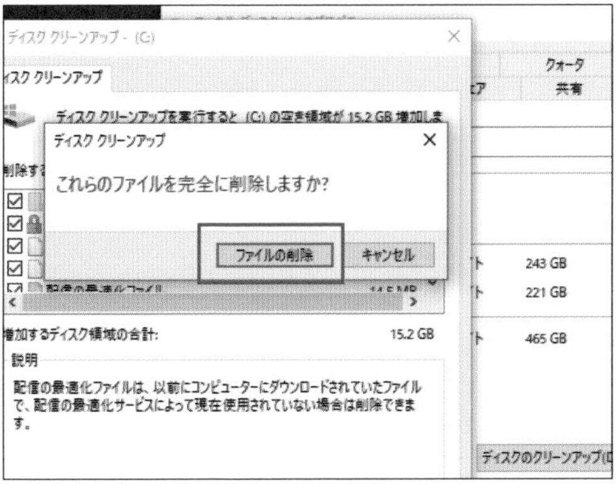

9

「**ディスク クリーンアップ**」ウィンドウが開き、ファイルを完全削除してよいか確認してくるので、「ファイルの削除」をクリックします。

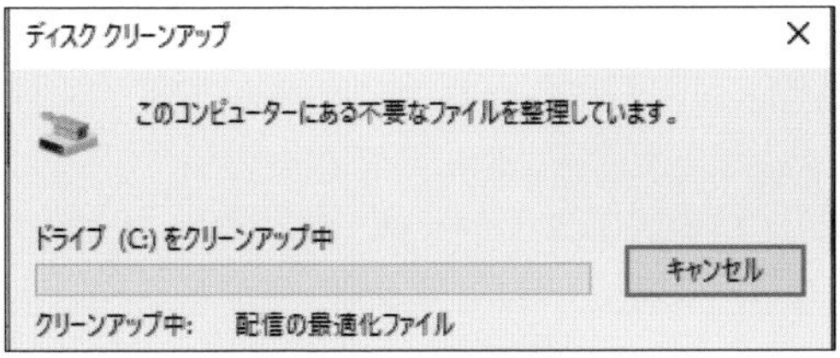

10

「ディスククリーンアップ」が切り替わり、自動的に不要なファイルが**完全削除**されていきます。

重いパソコンを快適にするコツ 5

仮想メモリの設定

▶ 足りないメモリ容量を補う

パソコンのメモリ容量が足りない場合、「**仮想メモリ**」を増やすことで動作が速くなります。「仮想メモリ」とは、HDD(ハードディスク)など、メモリとは別の記録領域をメモリとして使うことができる機能です。本来「仮想メモリ」サイズは計算して出すものですが、4000MBにするだけでも設定前より動作が快適になります。

1

①の「**Windows**」ボタンを右クリックし、②の「**システム**」をクリックします。

2

「**設定**」ウィンドウの右側や下にある「**システム情報**」をクリックします。

3

「**システム**」ウィンドウから「**システムの詳細設定**」をクリックします。

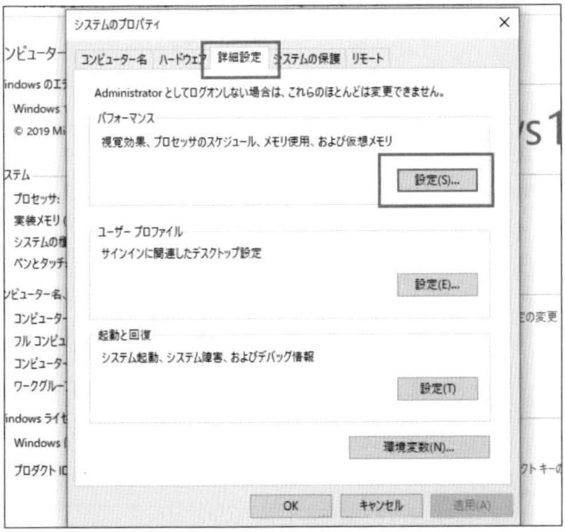

4

「**システムのプロパティ**」ウィンドウから「**詳細設定**」タブをクリックし、「**パフォーマンス**」の「**設定**」をクリックします。

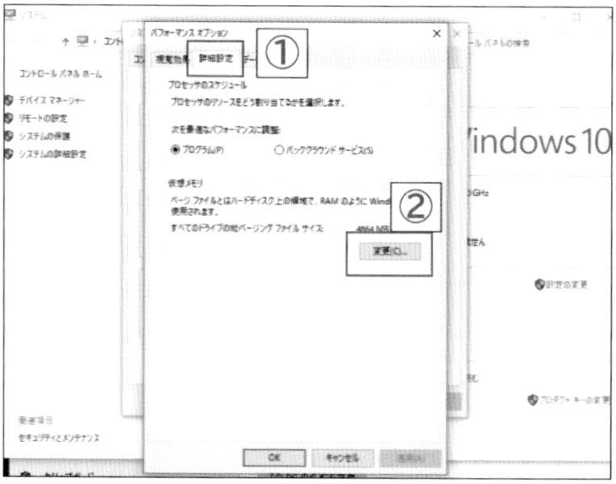

5

「**パフォーマンスオプション**」ウィンドウの①にある「**詳細設定**」タブをクリックし、②にある仮想メモリの「**変更**」をクリックします。

6

「**仮想メモリ**」ウィンドウが開くので、「**すべてのドライブのページングファイルのサイズを自動的に管理する**」のチェックを外します。

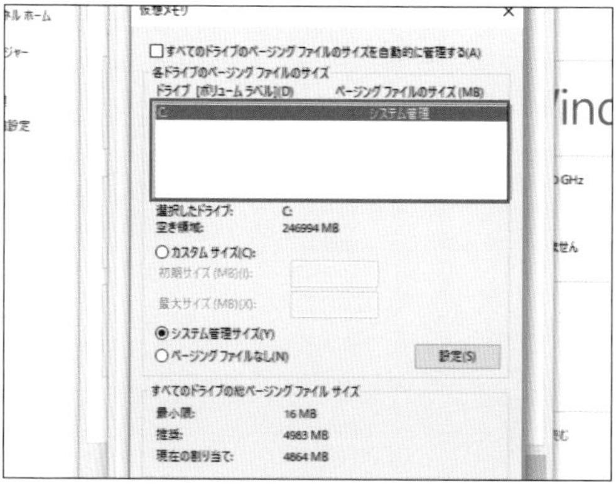

7

ドライブの選択が可能になります。選べるドライブに「**D**」がある場合は、「D」にします。「D」がない場合は「C」を選びましょう。

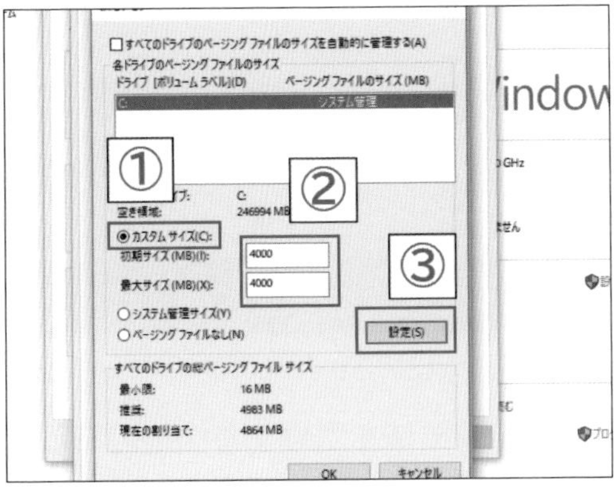

8

①の「**カスタムサイズ**」をクリックし、②の「**初期サイズ（MB）:**」と「**最大サイズ（MB）:**」の両方に4000と入力していきます。終わったら、③の「設定」をクリックします。

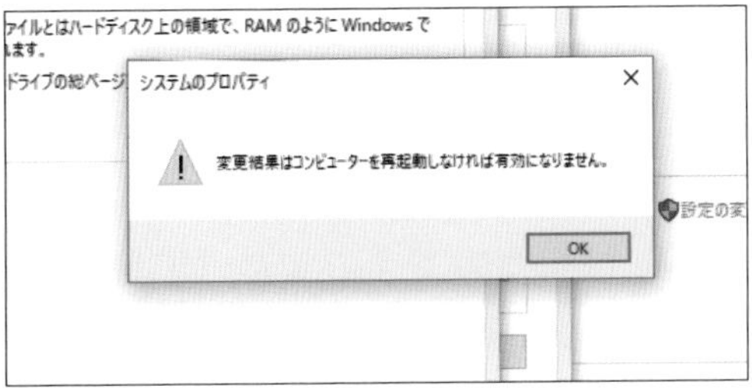

9

「**OK**」をクリックすると、「変更結果はコンピューターを再起動しなければ有効になりません。」と警告が出ますので「**OK**」をクリックしましょう。

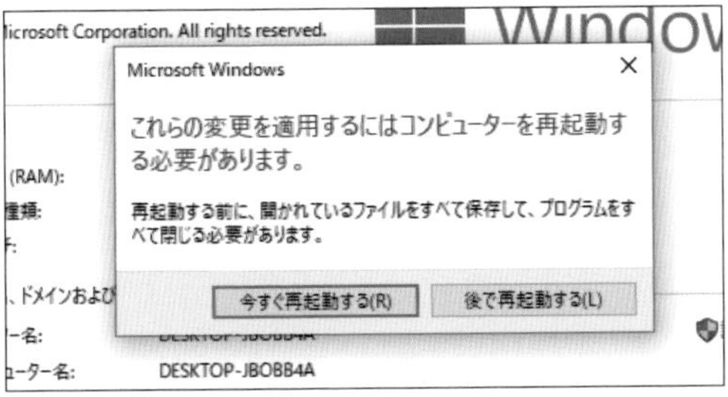

10

「**システムのプロパティ**」ウィンドウを閉じると再起動するタイミングを決めるウィンドウが出てくるので、どちらかを選択してクリックします。

デフラグ

▶ ドライブの中身を最適化する

「デフラグ」とは、パソコンの記憶領域を整理する機能のことです。パソコンは空いた記憶スペースに新しいデータを入れていきます。これは、1巻から順番に並んだ本を本棚から何冊か移動した際、空いたスペースに違う本を入れるようなもので、次第に順番はバラバラになっていきます。この現象を**「断片化」**といい、バラバラになったファイルを行き来しなければならないので、ファイルの読み書き速度が低下してしまうのです。また、HDD（ハードディスク）の寿命を縮めることにも繋がります。

「デフラグ」は、長時間かかることが多く、手動で行うには少々手間です。しかし、Windows 10には一定間隔で自動的に「デフラグ」を行ってくれる機能もあるので、パソコンの動作が遅いと感じた場合はその頻度を上げましょう。

「デフラグ」はWindowsの標準機能ですが、より性能の高い**デフラグソフト**もインターネット上に無料で配布されており、それを使えば、さらにドライブの整理がきれいにできます。なお、主な記憶媒体にはHDDと**SSD（ソリッドステートドライブ）**があります。SSDは「断片化」によるパフォーマンスの低下が起きづらく、「デフラグ」の効果は薄いです。**「Trim機能」**という次回のアクセスを高速化する機能はあるものの、「デフラグ」はHDDを使っている人におすすめの機能といえます。

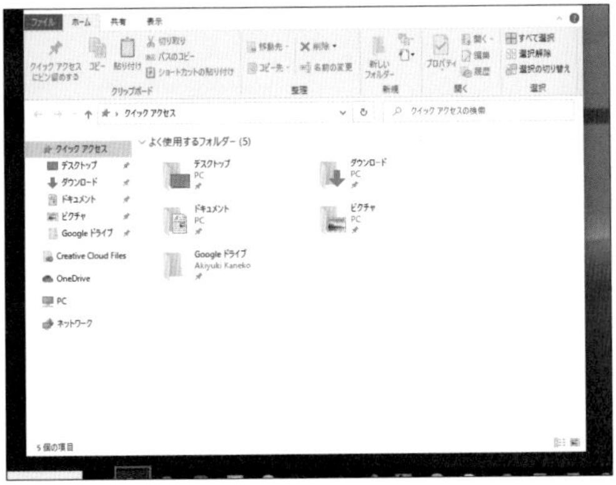

1

「**フォルダ**」マークをクリックして「**エクスプローラー**」**ウィンドウ**を開きます。

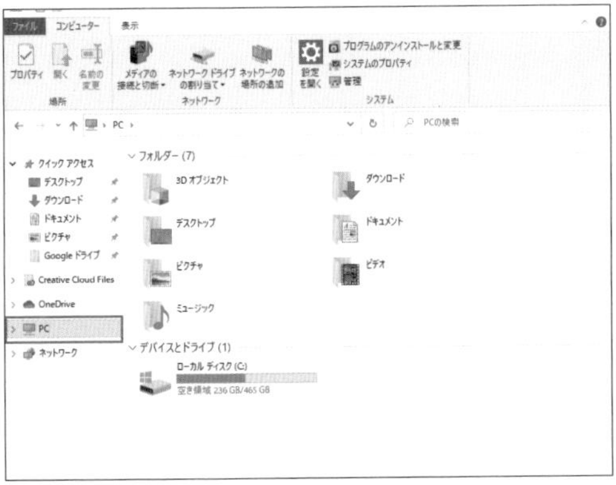

2

左側を下にスクロールして「**PC**」という項目をクリックします。

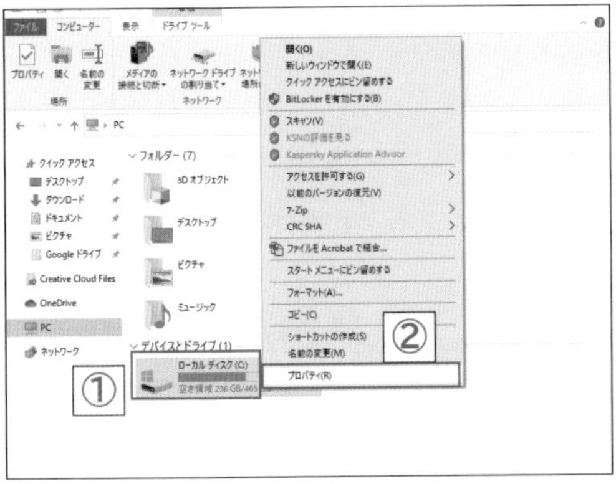

3

「**デバイスとドライブ**」から①の「**ローカル ディスク（C：）**」というアイコンを**右クリック**し、②の「**プロパティ**」をクリックします。

4

「**ローカル　ディスク(C:)　のプロパティ**」というウィンドウが開いたら、「**ツール**」タブをクリックします。

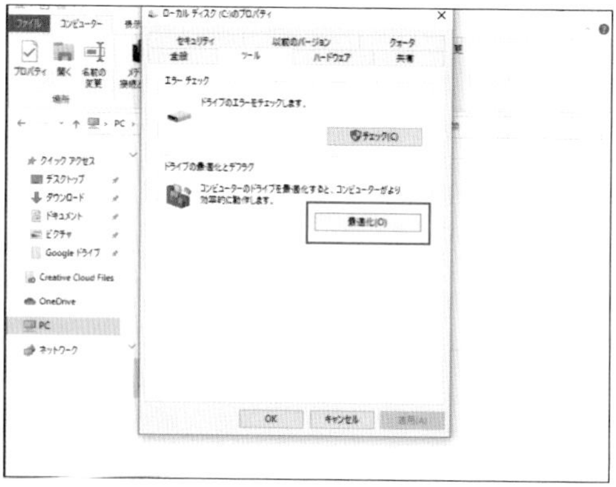

5

「**ドライブの最適化とデフラグ**」の項目から「**最適化**」をクリックします。

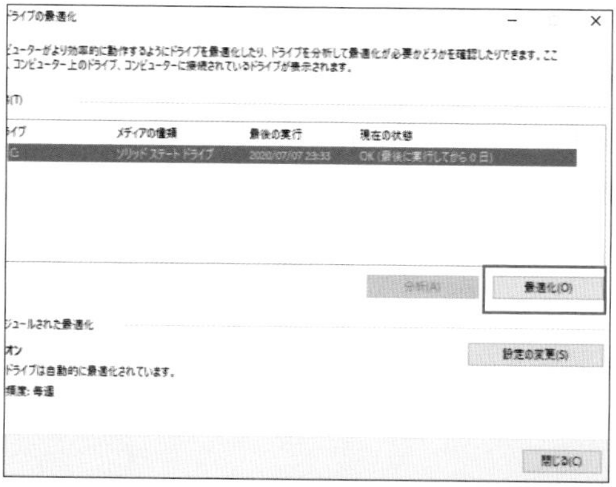

6

開いた「**ドライブの最適化**」ウィンドウから、「**最適化**」を選んでクリックするとデフラグが始まります。デフラグ完了には時間がかかることが多いです。

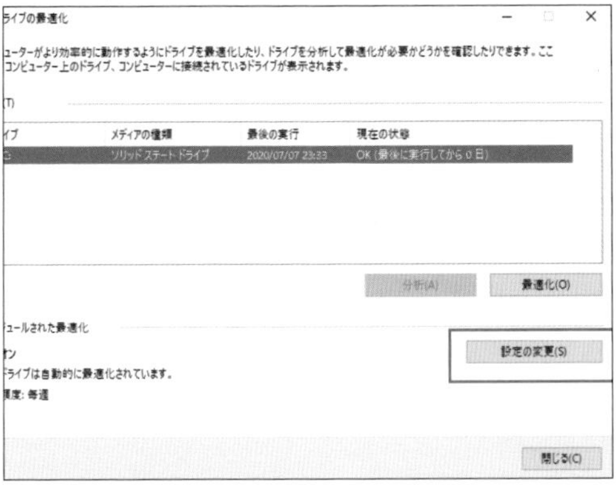

7

「ドライブの最適化」ウィンドウで**「設定の変更」**をクリックすると、自動でデフラグを行う間隔を変更することができます。

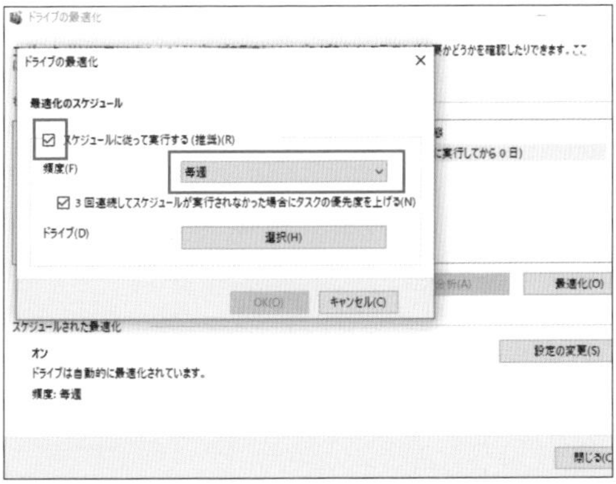

8

新しいウィンドウが開くので、**「スケジュールに従って実行する（推奨）」**にチェックを入れ、頻度を変更しましょう。

Point

- パソコンのデータは「断片化」されて記憶される
- 「デフラグ」によってデータの「断片化」が解消される
- 「デフラグ」は HDD への効果が高く、SSD には効果が薄い
- インターネット上にはさらに高性能なデフラグソフトがある

金子晃之公式ブログ「パソニュー」

パソニューは、パソコンやスマートフォンの使い方を初心者にもわかりやすいように紹介するサイトです。パソコンが苦手でも見るだけで解決するという情報を公開しています。

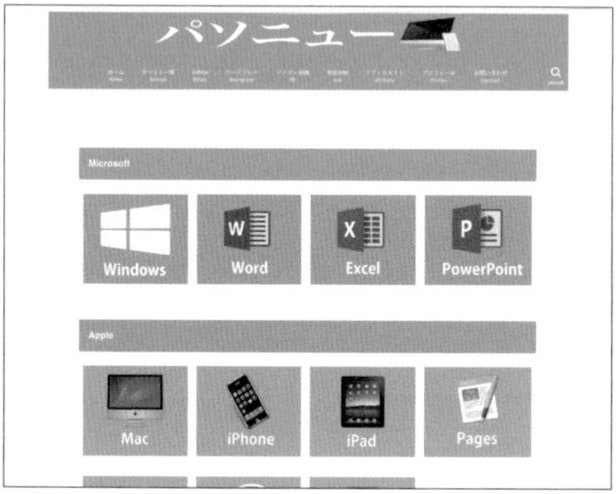

公式ブログ「パソニュー」 https://pasonyu.com

金子晃之 YouTubeチャンネル

金子晃之のYouTubeチャンネルは、「パソコン・スマホの知識ゼロの初心者が、仕事で使える中級者レベルまで上達できる」チャンネルです。Word・Excelだけでなく、ITスキル全般が身につく動画を配信しています。現在では「学校の授業」「教員・企業研修」「就職支援」など、さまざまな場所でも活用されています。

Youtubeチャンネル

https://www.youtube.com/channel/UCaxV7Sf7pdNjlahl6BtJBBw

STAFF

装丁 小口翔平、畑中茜（tobufune）

本文デザイン・DTP 横山保子（Lapito Design Studio ）

編集・構成 斉藤健太、佐藤裕二、今井智司、林賢吾（株式会社ファミリーマガジン）

岡田泰子、荻田美加、幕田けいた

企画・編集 九内俊彦

金子晃之（かねこ あきゆき）

ビジネスパーソンを中心に、いま圧倒的な支持を得ているパソコン解説系YouTuber。専門学校卒業後、プログラマーとして勤務。その後パソコン教室を開業し、Word・Excelについて猛勉強。Word・Excelには理解しやすい法則があることを発見し、取得に通常2カ月かかるというWord・Excelの資格に、2日間の講義のみで知識ゼロの受講者を次々と合格させた。その後は全国から受講者が殺到し、予約が2カ月待ちの状態に。ブログは月間約30万PV。もっと知識を広めたいと2014年に開始したYouTubeは、チャンネル登録者数が驚異の100万人を突破した。動画の総再生回数は7000万回を突破し、文字通り“桁違い”の人気を誇っている。

大人気YouTuber方式
Excel & Wordの必須スキルが
見るだけで身につく本

2020年 8月25日　第1刷発行
2023年 11月20日　第12刷発行

著者　金子晃之
発行人　蓮見清一
発行所　株式会社宝島社
〒102-8388 東京都千代田区一番町25番地
電話（営業）03-3234-4621
電話（編集）03-3239-0926
https://tkj.jp
印刷・製本　日経印刷株式会社

ISBN 978-4-299-00754-4